JN058001

どうして そうなった!?
いきものの名前

奥深い和名と学名の意味・しくみ・由来

丸山貴史 著　　岡西政典 監修

緑書房

第1章 和名を知ろう に登場する生きものたち

中国と日本で漢字表記の違うもの 36ページ〜

口絵1-1 ミーアキャット

中国語では「狐獴」と書くが、日本語の漢字名はない。ちなみに、英名は「meerkat」なので、キャット（cat）ではないと思いきや……?

英語にもある別名 44ページ〜

口絵1-2 ピューマ

北アメリカと南アメリカに生息する大型のネコ科動物。名前に関するあることで、『ギネス世界記録』に掲載されている。

エルクはどんなシカ？ 46ページ〜

口絵1-3 アメリカアカシカ

ヨーロッパでは「ワピチ」、北アメリカでは「エルク」と呼ばれる。しかも、ヨーロッパではヘラジカを「エルク」と呼ぶのでややこしい。

家畜の呼び分け 58ページ〜

口絵1-4 ヒトコブラクダ

アラビア語圏では重要な家畜なので、ヒトコブラクダを表すアラビア語は100語以上もある。

外国の生きものに和名は必要？ 63ページ〜

口絵1-5 ヘラクレスオオカブト

外国の昆虫には和名がほとんどない。ただし、メディアでよく紹介される種や、ペットとして取り引きされる種には和名がつけられる。

ハイイロジェントルキツネザルを分解 66ページ〜

口絵1-6
ハイイロジェントルキツネザル

和名を分解すると、ハイイロ＋ジェントル＋キツネ＋ザル。後ろに行くほど大きな分類群を表す。

コウノトリの仲間はどれ？ 70ページ〜

口絵1-7　**ハシビロコウ**

「くちばしの幅が広いコウノトリ」を意味する名を持つが……。

哺乳類のクマと関係のない生きものはどれ？ 73ページ〜

口絵1-9　**クマノミ**
イソギンチャクをすみかとする海水魚。

口絵1-8　**クマナマコ**
水深7,000m という超深海に生息するナマコ。

口絵1-10
クマサカガイ
殻の上に小石などを貼りつけて補強する巻き貝。

大きいことを表す修飾語には、オオ（大）、オニ（鬼）、オウサマ（王様）、コウテイ（皇帝）、ダイオウ（大王）、ゴライアス（Goliath）、ジャイアント（giant）などがある。

口絵1-11　オオグソクムシ

グソクムシより大きく、ダイオウグソクムシやコウテイグソクムシより小さい。

口絵1-12　オニグモ

日本で最重量級のクモ。

**口絵1-13
ゴライアストリバネアゲハ**

世界最大級のチョウ。

**口絵1-14
オニオオハシ**

「オオ」が修飾するのは「ハシ（くちばし）」、「オニ」が修飾するのは「オオハシ（鳥）」なので、ちょっとややこしい。

口絵1-15　コウテイペンギン（左）**とオウサマペンギン**

コウテイペンギンは世界最大のペンギン、オウサマペンギンは2番目に大きい。

小さいことの表し方 81ページ〜

小さいことを表す修飾語には、ヒメ（姫）、ヒナ（雛）、コ（小）、コガタ（小型）、マメ（豆）、ピグミー（pygmy）、ドワーフ（dwarf）、レッサー（lesser）などがある。

口絵1-16
ミナミコアリクイ

オオアリクイより小さく、ヒメアリクイより大きい。

口絵1-17
ジャワマメジカ

マメジカ科の最少種。マメジカ科の最大種ミズマメジカと、シカ科の最小種プーズーは同じくらいの大きさ。

口絵1-18
レッサーパンダ

もともとはパンダと呼ばれていたが、ジャイアントパンダが発見されたためレッサーパンダになった。

ゲンゴロウクイズ♪

以下のゲンゴロウを小さい順に並べ替えよ。

ツブゲンゴロウ
マメゲンゴロウ
ヒメゲンゴロウ
チビゲンゴロウ　　　　　答えは84ページ

ゲンゴロウ
日本におけるゲンゴロウ科の最大種。

似ているけど違うもの 84ページ〜

似ているけど違うものを表す修飾語には、モドキ（擬き）、ニセ（偽）、ダマシ（騙し）などがある。

口絵1-19
スッポン（左）とスッポンモドキ

スッポン科のスッポンは肉食性が強く、スッポンモドキ科のスッポンモドキは植物が主食。

口絵1-20
フクロモモンガ

近縁の有袋類に、ニセフクロモモンガとフクロモモンガダマシがいる。

基準となる生きもの 86ページ〜

基準となる生きものを表す修飾語には、ナミ（並）、マ（真）、ホン（本）、コモン（common）などがある。

口絵1-21　**コモンマーモセット**

マーモセット属の基準となる種（模式種）。「common」は「普通」という意味。

口絵1-22　**シャコ**

シャコ目シャコ科シャコ属のシャコという種。単にシャコというと種名かグループ名かわからないので、「無印シャコ」や「並シャコ」と呼ぶこともある。

^第2^章 学名を知ろう に登場する生きものたち

学名はどんなもの？ 90ページ〜

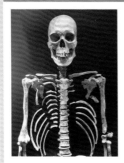

Homo sapiens Linnaeus, 1758

　　属名　　種小名　　命名者名　　記載年

※学名は「*Homo sapiens*」の部分のみ。

口絵2-1　ヒト

ヒトの学名を記載したのは、スウェーデンのカール・フォン・リンネ。1758年に発行された『自然の体系』の第10版で、初めて記載された動物の学名の一つ。

古生物は基本的に属名で呼ばれる 93ページ〜

口絵2-2　ティラノサウルス

古生物には大昔から使われてきた名前が存在しないので、たいていは学名（属名）で呼ばれる。また、ティラノサウルス属には1種（*Tyrannosaurus rex*）しかいないので、属名だけでも種を特定できる。

口絵2-3　ステゴサウルス

ステゴサウルス属には4種が記載されている。ただしどこまで別種とするかは研究者によって意見が異なる。写真は *Stegosaurus stenops*。

ラテン語以外の学名 96ページ〜

口絵2-4　トキ

学名は *Nipponia nippon*。この学名は日本語由来で、「日本の日本」という意味。

長い学名 98ページ〜

口絵2-5　グリプトドン

グリプトドン科の*Parapropalaehoplophorus*は、世界で最も長い属名。どんどん修飾語が追加されていって長くなった。

記載まで時間がかかった
フタバスズキリュウ 115ページ〜

口絵2-6　フタバスズキリュウ

化石が発見されたのは1968年だが、学名が記載されたのは発見から38年後の2006年。

ホモニムは異物同名 122ページ〜

口絵2-7　ハリモグラ

ハリモグラの英名は「echidna」。もともとは属名も*Echidna*だったが、ある理由で変更された。

新種の根拠となる標本 126ページ〜

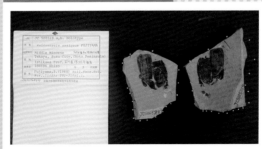

**口絵2-8
ムカシナンバン
ダイコクコガネ**
（ホロタイプ）

この化石は「その生物の基準」となる唯一の標本。

3語で表す亜種の学名 130ページ〜

口絵2-9　ニホンジカ

左はホンシュウジカ（*Cervus nippon centralis*）、右はヤクシカ（*Cervus nippon yakushimae*）。どちらもニホンジカの亜種だが、ヤクシカのほうが小さい。

植物の品種と変種 133ページ〜

口絵2-10　ガクアジサイ（アジサイの品種）

植物には亜種より下に「変種（varietas）」と「品種（forma）」という分類群がある。この品種というのは、「栽培品種（cultivar）」とは別物。

オドンは歯 148ページ〜

口絵2-11　スミロドン

属名は*Smilodon*。「オドン（odon）」は、ギリシャ語で「歯」を意味する。

ゴリラ・ゴリラはざんねんか？ 168ページ〜

口絵2-13　ピパピパ

属名と種小名が同じものを「トートニム」という。

口絵2-12　ニシローランドゴリラ

ニシゴリラの亜種で、学名は*Gorilla gorilla gorilla*。このように亜種名まで同じものは「トリプルトートニム」という。

第3章 名前の雑学 に登場する生きものたち

作出されたヒョウ属の雑種 180ページ〜

口絵3-1　ヒョウ属の種間雑種名

雑種名は「オスの英名の前半」と「メスの英名の後半」を合わせたもの。

オス ＼ メス	ライオン lion	トラ tiger	ジャガー jaguar	ヒョウ leopard
ライオン lion		ライガー liger	ライガー liguar	ライパード lipard
トラ tiger	タイゴン tigon		タイガー tiguar	タイガード tigard
ジャガー jaguar	ジャグリオン jaglion	ジャガー jagger		ジャグパード jagupard
ヒョウ leopard	レオポン leopon	レオガー leoger	レガー leguar	

ライオン

トラ

ジャガー

ヒョウ

ハゲ、チビ、デブ、バカ 195ページ〜

口絵3-2　アフリカハゲコウ

差別的なニュアンスのある「ハゲ」などの表現も、生きものの名前ではまだまだ現役？

いろいろなコビト 199ページ〜

口絵3-3　コビトカバ

「コビト」には差別的なニュアンスがあるため、一部の施設では「ミニカバ」という表記で展示されている。

日本魚類学会の試み 205ページ〜

口絵3-4　ムラサキヌタウナギ

2007年に日本魚類学会は、差別的用語をふくむ「メクラウナギ綱・目・科」から「ヌタウナギ綱・目・科」へと改名した。

英名や学名にもある差別表現 212ページ〜

口絵3-5　ガラパゴスペンギン

種小名の「mendiculus」には「乞食のような」という意味があり、頭を下げて前傾姿勢で歩く姿に由来する。

ウミヘビはヘビか魚か 217ページ〜

口絵3-6
シマウミヘビ（左）と
ダイナンウミヘビ

どちらもウナギ目ウミヘビ科の硬骨魚類。爬虫類のウミヘビはコブラ科に属する。

口絵3-7
「ウナギ」とつく魚
さまざまな分類群に「○○ウナギ」が
存在する。

ヌタウナギ綱 → ヌタウナギ（**口絵3-4**）
ヤツメウナギ綱 → ヤツメウナギ
硬骨魚綱
　タウナギ目
　　タウナギ亜目
　　　タウナギ科 → タウナギ❶
　　トゲウナギ亜目
　　　トゲウナギ科 → トゲウナギ
　デンキウナギ目
　　ギュムノトゥス科 → デンキウナギ❷
　フウセンウナギ目
　　ヤバネウナギ亜目
　　　ヤバネウナギ科 → ヤバネウナギ
　　フウセンウナギ亜目
　　　フウセンウナギ科 → フウセンウナギ❸
　　　フクロウナギ科 → フクロウナギ
　　　タンガクウナギ科 → タンガクウナギ
　ウナギ目
　　ムカシウナギ亜目
　　　ムカシウナギ科 → ムカシウナギ
　　ウツボ亜目
　　　ザトウウナギ科 → ザトウウナギ
　　ウナギ亜目
　　　シギウナギ科 → シギウナギ❹
　　　ノコバウナギ科 → ノコバウナギ
　　　ウナギ科 → ニホンウナギ❺
　　　　　　　　オオウナギ
　　　　　　　　ヨーロッパウナギなど

❶タウナギ

❷デンキウナギ

❸フウセンウナギ

❹シギウナギ

❺ニホンウナギ

カゲロウとアミメカゲロウ 219ページ～

口絵3-8　**キイロカワカゲロウ**（左）**とウスバカゲロウ**

カゲロウ目のキイロカワカゲロウは不完全変態で、幼虫は水中生活。アミメカゲロウ目のウスバカゲロウは完全変態で、幼虫はアリを捕食するアリジゴク。

甲殻類の蝦蛄、鳥の鷦鷯、二枚貝の硨磲 220ページ～

口絵3-9　**モンハナシャコ**（甲殻類、左）**とオオシャコ**（二枚貝類）

これらの「シャコ」は中国名に由来する。

タイは平たい 225ページ～

口絵3-10　**コブダイ**（左）**とイシダイ**

コブダイはベラ科、イシダイはイシダイ科で、「本物のタイ（タイ科）」ではない。

まぎらわしい分類名 226ページ〜

口絵3-11　ベッコウハゴロモ

ハゴロモ科の昆虫は小さくて地味なものばかりだが、それよりさらにマイナーなのが……。

ハテナ？　232ページ〜

口絵3-12　ハテナゴキブリ

この名前の由来は、背面の模様に関係がある。

なにがナンダ？　233ページ〜

口絵3-13　ヒトツバタゴ

別名はナンジャモンジャというが、その理由は……？

奇想天外、ああそうかい 235ページ〜

口絵3-14
サバク
オモト

別名はキソウテンガイ。2000年以上も生きている個体が見つかっているが、生涯を通じてたった2枚の葉しか生えてこないという「奇想天外」っぷり。

ドウガネブイブイ考 240ページ〜

口絵3-15
ドウガネブイブイ（左）と
アオドウガネ

ドウガネブイブイという奇妙な名前がどのようにつけられたのか、考察してみた。

北海道にしかいないトウキョウトガリネズミ 248ページ〜

口絵3-16
**トウキョウ
トガリネズミ**

東京にはいないのに、標本ラベルの書き間違いでこんな名前がつけられた!?

英名と学名が違うガビアル 250ページ〜

口絵3-17　**ガビアル**

英名はなぜか「gharial（ガリアル）」。

間違えられたフォッサとファナロカ 251ページ〜

口絵3-18　**フォッサ**

Fossa fossana という学名は別の動物につけられている。

学名が入れ替わった日本の鳥 252ページ〜

左：コマドリ（学名：*Larvivora akahige*）　右：アカヒゲ（学名：*Larvivora komadori*）

口絵3-19
**コマドリ（左）と
アカヒゲ**

卑猥な学名？ 260ページ〜

いったいどこが卑猥？

口絵3-21
**ショクダイ
オオコンニャク**

口絵3-20
セイシボク

口絵3-22
チョウマメ

植物の最長はアマモの別名 270ページ〜

口絵3-23　**アマモ**

ジュゴンの食草としても有名な海に生える草。別名のリュウグウノオトヒメノモトユイノキリハズシは、漢字で書くと「龍宮の乙姫の元結の切り外し」。

魚は英名をカタカナ化すると長くなる 271ページ〜

口絵3-24
**ミツクリエナガ
チョウチンアンコウ**

長らく最長の魚の和名だったのだが……。

はじめに

　この本を手に取って下さったあなたは、生きもの※1のみならず、その名前にまで興味があるたいへん奇特※2な方なのでしょう。その時点で、本書の設けた高いハードルをすでに越えています。この本は、「いきものの名前」に関するルールやしきたりを紹介したものですが、あまり類書のない分野なので、需要があるのか不安に思いながら執筆しました。

　日本語の生きものの名前を「和名」といいますが、明治時代になるまでは中国語の生きものの名前である「漢名」が正式な生物名だとみなされていました。しかし、明治時代になると、西洋文化が偏重されるようになり、漢名はだんだんと用いられなくなってきます。その代わりに、和名をカタカナ表記することが増えていきました。

　とはいえ、哺乳類や鳥類など一部の分類群を除き、和名があるのは基本的に日本に生息するものだけ。分類群によっては、日本に生息していても和名がつけられていない生きものだって少なくありません。その一方で、複数の別名を持つ恵まれた（？）生きものもおり、和名の中でとくに使用が推奨されるものを「標準和名」といいます。ただし、標準和名がある分類群はむしろ少数派で、誰がどのように標準和名を指定するのかといった明確なルールは存在しません。

　また、明確なルールがある学名においても、動物は「国際動物命名規約」、植物や菌類などは「国際藻類・菌類・植物命名規約」、細菌類と古細菌類は「国際原核生物命名規約」というように、異なる機関が定めており、それぞれ微妙に異なります。たとえば、動物ではわりと見かけるニシゴリラ（*Gorilla gorilla*）のようなトートニム（同名の繰り返し）の学名は、植物や細菌では認められていません。命名者名および記載年の表記においても、推奨される書き方はそれぞれの命名規約によって異なります。以下はその例ですが、詳しくは112ページの「命名者名と記載年」をご覧ください。

Homo sapiens Linnaeus, 1758　ヒト

Helianthus annuus L.（1753）　ヒマワリ

Bacillus anthracis Cohn 1872　炭疽菌

　このようなことを、順を追って説明していった結果、思いのほかページ数が多くなってしまいました。また、平易な表現を心がけると、不正確になってしまうことがあります。そこで注釈を入れまくったため、数ページにわたって注釈が続くところも出てきました。こちらとしては、もう少しコンパクトなほうがいいと思っていたのに、こうした傾向を編集の平川透さんが促したので、こってりした読後感の本になってしまったように思います。

　さらに、最初は写真をあまり載せる予定ではありませんでしたが、制作の終盤で巻頭のカラーページが増えることになり、大昔に撮った写真まで引っ張り出すことになりました。すると、これが載っているのにこれがないのはおかしいと思いはじめ、追加の写真を撮りに動物園や植物園に出張したりもしています。ちなみに、いまも近所のスーパーで買ってきたサザエの写真を撮ったばかりです。

　この本は、「ざんねん」だったり、「わけあり」だったりする生物名を紹介した、「あっさり味」の爽やかな本ではありません。そのため、読者を選ぶと思います。「いきものの名前」をテーマにした時点でハードルを設けているのに、そのハードルをさらに上げてしまったといえるでしょう。でも、数ページ読んでみて、この「こってり感」が嫌ではなかったら、あなたはこの本に選ばれた方です。内容については不足なく（過はあるかも）詰まっているはずなので、ぜひ「奥深い和名と学名の意味・しくみ・由来」をご堪能ください。

　また、「大量の生物名が登場するこんな面倒くさい本の監修を引き受けてくれる先生がいるのか」と心配していましたが、分類学者の岡西政典先生にあっさり引き受けていただきました。岡西先生は2022年に文部科学大臣表彰の若手科学者賞を受賞された新進気鋭の研究者です。いままでにクモヒトデ綱の新種を23種も記載されており、137ページの「記載論文の書き方」というコラムもご執筆いただいていま

す。コラムで語られている、「新種を記載できるのは、新種の可能性がある生物を観察する際に、『自分図鑑（自分の中にあるデータベース）』と比較できる人」というのは名言だと思うので、ぜひコラムも読んでみてください。

　というわけで、この本を書くにあたり和名や学名について調べましたが、知っているようでいて、正確には知らなかったことだらけでした。そこで知り得たことを、ぎゅうぎゅうに詰め込んだのがこの本です。とはいえ、これは研究発表の場ではありませんから、難しいことはまったく書いていません。この本に選ばれてしまった皆さん、勉強しようと構えずに、ぜひ娯楽としてお楽しみ下さい。

2023年11月

丸山貴史

※1　タイトルは「いきもの」ですが、本文中では「生きもの」という表記を使用しています。タイトルでは「いきもの」のほうが文字面が良く、文章中ではひらがなが続くと視認性が悪くなるためです。

※2　しばしば誤解されますが、「奇特」は褒め言葉です。

目次

第1章 …… 和名を知ろう

和名のつけ方

和名の構造 ----- 66

・ハイイロジェントル
　キツネザルを分解

・分類が細かくなると
　名前が長くなる

・漢字で書くと構造が
　わかりやすい

突然クイズ ----- 70

・コウノトリの仲間はどれ？

・哺乳類のクマと関係のない
　生きものはどれ？

いろいろな修飾語 ----- 78

・大きいことの表し方

・小さいことの表し方

・似ているけど違うもの

・基準となる生きもの

第2章 ···· # 学名を知ろう

世界中で
通用する名前

リンネの考えた
二名法 ----- 90

・学名はどんなもの？

・分類学の父、
　カール・フォン・リンネ

「ティラノサウルス」
は学名？ ----- 93

・古生物は基本的に属名で
　呼ばれる

・同種なのか、別種なのか

学名に使われる言語 ----- 96

・ラテン語は知識人の共通言語

・ラテン語以外の学名

・短い学名

・長い学名

学名はどうやって
読む？ ----- 102

・基本はローマ字読み

・じつは統一されていない
　学名の読み方

第1章

和名を知ろう

日本語の名前

▲

どうやって書くのが正しい？

● NHKの基準

　みなさんは、日本語で生きものの名前を書くときに、「ひらがな」「カタカナ」「漢字」のどれを使いますか。もしも、あなたが個人的な文章を書いているのなら、どんな表記でもよいでしょう。でも、博物館の展示パネルや、幼児向けではない図鑑など、生きものを科学的に紹介するときには、必ずカタカナで書かれます。

　この、カタカナで書くというルールは、各生物分野の学会で個別に定められたものです。なので、生物学を意識した文章を書く場合は、カタカナ表記が適切だといえるでしょう。ただし、すべての生きものの名前をカタカナ表記すべきなのかというと、そんなことはありません。たとえばNHKの料理番組では、こんな表記が見られました。

　豚、牛、鶏、わに（ワニ）[※1]、まぐろ、たら、かに、大根、にんじん、ごぼう、じゃがいも、たまねぎ、春菊、菜の花、キャベツ、レタス、さやいんげん、ほうれんそう（ほうれん草）、梅、オリーブ

　一見したところ規則性がないように思えますが、どのようなルールに則っているのかわかりますか。調べてみたところ、NHKには料理番組に限らず、次のような基準があるそうです。

---

memo

アライグマはイヌ科のタヌキにちょっとだけ似ているがアライグマ科。ハナグマはイタチ科のアナグマにちょっとだけ似ているがアライグマ科。キンカ

基本ルール

　動物や植物（含む野菜）を表す漢字が常用漢字表にあれば漢字。なければひらがなで書きます。学術的な場合は、カタカナで書きます。

　ひらがなで書くのは、動植物名を表す文字が常用漢字表や常用漢字音訓表に含まれていない場合です。動物では、「とら」「くま」[※2]など。植物では、「ひのき」「らん」など。動植物名のほとんどがこれ（ひらがな表記）にあたります。

　動植物名を、学術的名称として使う場合には、カタカナで書くことになっています。例えば「バラ科」「サクラ属」。

　※ただし、上記によらず、外来語はカタカナ表記。（著者注）
「動物や植物の名の表記。カタカナ、ひらがな、漢字、などその基準は？」
（NHK放送文化研究所）より抜粋

　なんと、基本は漢字で、常用漢字にない場合はひらがな、そして、分類名のような学術的名称のみカタカナというルールなのだそうです。ただし、このルールにも、曖昧なところがあります。たとえば、「菜の花」は漢字仮名まじり表記ですが、「玉ねぎ」という表記は使われていません。「にんじん」は漢字で書くと「人参」なので、どちらも常用漢字ですが、「参（じん）」という読みが常用漢字表にないので、「人じん」という奇妙な表記を避けて、ひらがな表記にしているのでしょう。また、「じゃがいも」は外来語である「ジャガタラ芋」[※3]に由来しますが、「ジャガいも」とは表記されません。そして、「わに」や「ほうれんそう」には、「ワニ」「ほうれん草」という「表記のゆれ」[※4]が見られます。

　さらに、ニュース番組においても、「熊に襲われて崖から転落」「69歳の男性がクマに襲われた」というように統一されていないことがあり、内部規程を遵守していそうな雰囲気のあるNHKも、生きものの名前の表記に関しては厳密でないようです。

ジューはロリス科のポトにちょっとだけ似ているがアライグマ科。カコミスルはキツネザル科のワオキツネザルにちょっとだけ似ているがアライグマ科。

●カタカナの名前は読みやすい?

　おそらく読者のみなさんは、このような表記上のルールをあまり意識していないでしょう。しかし、出版物では、表記の統一がものすごく重要視されます。そのため、原稿の内容をチェックする「校正(校閲)」において、「誤字・脱字」や「事実誤認」とともに表記のゆれは排除されているのです[※5]。とくに私は、「外部校正」という自分が編集を担当していない出版物の校正もしていたので、本を読んでいても表記の統一がとても気になります。

　出版物ではなぜ表記を統一したがるのかというと、読みやすくするためです。同じ言葉が異なる表記で登場すると、別の意味かと思い混乱します。そして、どうせ統一するのであれば、生きものの名前の場合、カタカナが読みやすいのです。

　たとえば、先ほどの「NHKルール」で書いた以下の文章の意味を、さっと理解できますか。

　かににたら、ごぼうをゆでます。

　これがカタカナであれば、ひと目で意味がわかります。

　カニにタラ、ゴボウをゆでます。

　カタカナで表記すると、その部分が独立した単語だということが明らかになり、視認しやすいのです。これが、もっと長い、あるいは極端に短い名前だった場合、読みやすさには大きな違いが出てきます。

　おおはまはまだらかとたてんはまだらかはまらりあ原虫を媒介するかで、日本にも分布している。

---

memo

ウミブドウという商品名で流通する海藻は、種名をクビレズタという。語源は「くびれのあるツタ(蔦)」だが、近年はクビレヅタという表記も見られる。ほ

これをカタカナで書くと、こうなります。

　オオハマハマダラカとタテンハマダラカはマラリア原虫を媒介するカで、日本にも分布している。

　長い種名を一文字ずつ追わなくても、2種のハマダラカを示しているのだということがわかりやすいですね。これが、カタカナ表記にする大きなメリットです。ただし、「ウ（鵜）」「カ（蚊）」「ガ（蛾）」「モ（藻）」のような一文字の名前は、ひらがな表記はありえないとして、カタカナ表記でもまだ読みにくいと思います。

　うはもを食べないし、がはかを食べない。
　ウはモを食べないし、ガはカを食べない。
　鵜は藻を食べないし、蛾は蚊を食べない。

　とくに、カタカナの「カ」に関しては、漢字の「力（ちから）」と区別がつきづらいので、漢字で「蚊」と表記されることが少なくありません。でも、「蚊」と表記した場合、種名も「大浜翅斑蚊」「多点翅斑蚊」としなければ表記の統一が取れなくなるので、悩ましいところです。そのため、漢字は使わずに、「カ・」のように傍点をつけて読みやすくすることもあります。
　余談ですが、視認性とは別に、「ヒト」もカタカナ書きに注意を要する言葉です。「ヒトとチンパンジーの共通祖先」というように、生物の種を意味しているならば、カタカナ表記で問題ありません。ところが、「20世紀初めの人」「人の苦しみ」「すべての人たち」のように、社会的な存在として意識した場合、「20世紀初めのヒト」「ヒトの苦しみ」「すべてのヒトたち」では違和感があります。そのため、機械的に統一することはできず、文脈によって使い分けが必要です。

かにも表記のゆれが見られる海藻に、モズク（モヅク）がある。ほかの「藻に付く」というのが語源のようだが、現在は商品名・種名ともにモズクが優勢。

※1 サメを意味する古名または地方名。

※2 「熊」は2010年の改定で常用漢字に追加されたため、現在は「くま」で
はなく「熊」が正しいと思われる。

※3 インドネシアのジャガタラ（現在のジャカルタ）を経由して日本に伝来
したイモなので、このような名前がつけられた。

※4 出版物などにおいて、同音かつ同義の言葉について、異なる表記が混在
している状態を指す。

※5 ただし、校正者の入れる「赤字（訂正指示）」というのは、あくまでも
提案なので、それを受け入れるかどうかは著者（と担当編集者）次第。
また、書籍ごとに表記のルールは異なり、たまにあえて表記を統一しな
い著者もいる。

※6 亜種小名については、130ページの「3語で表す亜種の学名」を参照。

(miniコラム) 白いクマ

　ホッキョクグマが初来日したのは1902年。このとき、上野動物
園ではアルビノ（白化個体）のツキノワグマが飼育されており、そ
れが「白熊」として親しまれていました。そのため、シロクマとい
う呼称が使えず、英名の「polar bear（極地のクマ）」を訳してホッ
キョクグマという和名をつけたそうです。

　ちなみにアメリカクロクマ
の亜種「*Ursus americanus
kermodei*」には、毛色の白い
個体が高頻度で生まれます
（とくに多いブリティッシュ
コロンビア州では10〜20%
にも及ぶ）。日本ではこの亜
種をシロアメリカグマといい
ますが、英名は亜種小名※6に
基づくKermode bearです。

ホッキョクグマ

漢字で書かれた名前

● 漢字の名前は読みにくい？

　先ほど紹介した「ハマダラカ」の文章を、漢字表記すると以下のようになります。

　大浜翅斑蚊や多点翅斑蚊は麻刺利亜原虫を媒介する蚊で、日本にも分布している。

　ひらがなに比べれば視認性は良いものの、生物感は薄れるような気がしませんか。これは、見慣れない漢字が並ぶからだと思います。
　たとえば、「猿」「馬」「豚」「鹿」「牛」「猫」「犬」「熊」「杉」「桜」「稲」などの常用漢字であれば、漢字で書かれても違和感はないでしょう。でも、「獺」「鷸」「鼈」「蟾蜍」「鱓」「薊」のような馴染みのない漢字で書かれると、かなり違和感が出てきます。さらに、昆虫は長い名前のものが多いので、「淡紋筒鬚長象鼻虫」「黄翅偽葉虫花天牛」「瑠璃鑢花娘子蜂」のように種名を漢字で書かれると、視認性が非常に悪くなります。
　画数の多い漢字で書かれると、なんとなく「正式」っぽい感じがするかもしれません。しかし、冒頭で触れたように、生きものを科学的に紹介する場合はカタカナが適切です。それなのに、なぜほとんど使われない漢字名があるのかというと、昔のなごりだといえるでしょう。

● 昔はすべて漢字で表していた

　じつは、江戸時代まで、知識人の文章は「漢文」で書かれるのが普通でした。江戸時代中期に発行された百科事典『和漢三才図会』[※1]も漢文で書かれており、図1-1ように「膃肭臍」[※2]や「海鹿」[※3]など、

---

memo

明治時代中期まで、生きものの名前は「漢名（中国語の名前）」が正式な名称とみなされていた。

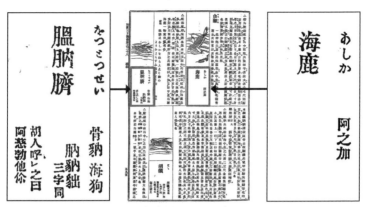

図1-1 『和漢三才図会 第五十二巻』（寺島良安 編、1712年）

出典：国立国会図書館

　生きものの名前はふりがなつきの漢字で表記されています。そのため、江戸時代までに名前が知られていた生きものには、漢字の名前が存在するのです。

　ところが、幕末から明治時代にかけて、急激に外国から新しい言葉が押し寄せてきました。すると、外来語についてはいちいち新しい漢字を当てはめたりせずに、音をそのままカタカナで書く例が増えてきます。さらに大正時代になると、外来語に対して新たな漢字を当てはめることはほぼなくなりました。そんな時代の流れにより、新しく知られるようになった外国の生きものの名前は、カタカナで表すのが一般的になっていったようです。ただし、昭和時代になっても、「狼」や「狐」のように昔からよく知られていた生きものは、まだまだ漢字表記が優勢でした。

● 当用漢字表の登場

　しかし、1945年の終戦後に、日本語の表記が大きく変わります。

> **memo**
>
> カミキリムシの漢字名「天牛」は、中国語に由来する。これは、太くて長い触角をウシの角に見立てたもので、英語でも「longhorn beetle（長い角の甲虫）」

たとえば、それまで日本語を横書きにするときは「右から左に」読んでいましたが[4]、1946年の1月1日から、横書きを「左から右に」読むよう、新聞の紙面が変更されました。さらに、同年の11月、新しい日本語表記の指針が内閣から告示されます。このとき、「当用漢字表」によって一般社会で使用する漢字の範囲が定められ、「現代かなづかい」によって歴史的仮名遣いが現代語に即した表記に改められたのです。そしてこの告示により、「狼」「狐」「熊」「鹿」など、それまで生きものの名前に使われていた漢字の多くが、当用漢字から除外されることになりました。

　当用漢字表にない漢字は、新聞などでも使われなくなります。それを見越して当用漢字表には、「動植物の名称は、かな書きにする。」という注意書きがありました。この「かな書き」は、ひらがなでもカタカナでもいいのですが、ひらがなで書かれたほかの言葉[5]と区別しやすいため、カタカナ表記が好まれたのでしょう。

　その後、当用漢字表に替わって、1981年に「常用漢字表」が告示されます。すると、当用漢字表にあった「動植物の名称は、かな書きにする。」という注意書きが消滅しました。そのため現在は、常用漢字の範囲内であれば、公文書や新聞などで生きものの名前を漢字表記することに問題はありません。

※1　大坂在住の医師である寺島良安によって編纂された、全105巻（81冊）にもおよぶ百科事典。30年以上の年月をかけて制作され、1712年に完成した。生物、地理、天文、服飾、器物など、多岐にわたる内容をふくむ。
※2　オットセイではなく「オットッセイ」と発音した。
※3　アシカにはほかにも、「海驢」「海馬」「葦鹿」の字が当てられ、語源は「海の鹿」あるいは「葦（の生える水辺）の鹿」だといわれる。また、海鹿はそのまま「うみしか」と読むとアメフラシの別名になり、海藻の「ひじき」と読むこともできる。

という。一方、日本では、ニッパーのような太い大顎に注目し、人間の髪の毛を切る虫だとみなされた。

※4　右の写真は1922年の広告。縦書
　　きと同じように、横書きも右から
　　左に向かって読んでいた。

※5　ただし戦前の日本では、学校でひ
　　らがなよりも先にカタカナを教
　　え、公文書のかな書きにはカタカ
　　ナが用いられていた（明治時代以
　　前から、新聞や小説のかな書きは
　　ひらがな）。
　　例：
　　「キジ　ハ　ツツツキマハリ（突っ
　　つきまわり）、　サル　ハ　ヒツカ
　　キマハリ、　イヌ　ハ　カミツキ
　　マハリマス。」（『尋常小學國語讀
　　本　巻一』より抜粋）

出典：国立国会図書館「本の万華鏡」

「皇宗ノ神霊ニ誥ケ白サク皇朕レ天壌無窮ノ宏謨ニ循ヒ惟神ノ宝祚ヲ承
継シ旧図ヲ保持シテ敢テ失墜スルコト無シ顧ミルニ世局ノ進運ニ膺リ人
文ノ発達ニ随ヒ宜ク」（『大日本帝國憲法』より抜粋）

しかし1949年4月、「公用文作成の基準について」という指示文書により、
現在に通ずる以下のようなルールが通達されている。

・漢字は、当用漢字表による。

・かなは、ひらがなを用いることとする。かたかなは特殊な場合に用い
　る。

・一定の猶予期間を定めて、なるべく広い範囲にわたって左横書きとす
　る。

中国から来た漢字名

●日本語の漢字表記と中国語名

みなさんは、以下の漢字がどのような生きものを意味するのかわかりますか。

　大熊猫、埃及獴、安地斯神鷲、大花草属

　正解は、「大熊猫（ジャイアントパンダ）」「埃及獴（エジプトマングース）」「安地斯神鷲（アンデスコンドル）」「大花草属（ラフレシア）」です。ジャイアントパンダはわりと有名ですが、ほかのものはなかなか想像がつかなかったのではないでしょうか。そもそもこれらの漢字名は、漢字と発音が一致していません。なぜなら、中国語だからです。

　中国ではすべての言葉を漢字で表します。そのため、中国名がある生きものには必ず漢字表記がありますし、新たに発見された生きものを紹介する場合には、すぐに新しい漢字が当てはめられます[※1]。一方、日本では、すべての生きものを漢字で表記する必要がないので、漢字名が存在しないものも少なくありません。なので、図鑑などで無理やり漢字名を載せる場合には、一部に中国名を使わざるを得ないのです。

　ただし、日本でも古くから知られているメジャーな生きものの名前は、ほとんどが中国語の漢字名をそのまま使っています。たとえば、以下のような動物名がそうです。

　「狼」「狐」「犬（狗）」「熊」「猫」「鼬（いたち）」「貂（てん）」「馬」「鹿」「牛」「豚（猪）」

　上記の「熊」と「猫」は、中国でも日本と同じクマとネコを意味します。でも、中国では、（レッサー）パンダという新しい動物が発見されたとき、それらを組み合わせて「熊猫」という漢字を当てました

---
memo

ヤママユガ科のクスサンは、漢字で書くと「樟蚕」。幼虫がクスノキ（樟）などの葉を食べる、カイコ（蚕）に似たガであることから。

図1-2　レッサーパンダ（左）とジャイアントパンダ
中国名はそれぞれ小熊猫、大熊猫。

（**図1-2**）。そして、のちにジャイアントパンダが見つかると、そちら
は「大熊猫」になり、レッサーパンダは「小熊猫」になったのです。「大
熊猫」という中国名は日本でもよく知られていますが、日本語の漢字
名とはいえないでしょう。ちなみに、「大熊猫」を現代中国語の発音
では「ダーションマオ（dàxióngmāo）」と読み、日本語の音読み[※2]「だ
いゆうびょう」にまあまあ近い感じです。

●中国と日本で漢字表記の違うもの

　中国では、外国の地名も漢字で表記します。「埃及獴」を分解すると、
「埃及」がエジプト、「獴」がマングースという意味です。ただし、日
本語では「獴」の字を使いません。これは、日本にマングースが生息
していなかったからでしょう。また、江戸時代の百科事典『和漢三才
図会』を見ても、「獴」という動物は載っていません。代わりに「食
蛇鼠（へびくいねづみ）」という名前で、マングースらしき動物が紹
介されています。

　話は脱線しますが、中国語で「狐獴」は、マングース科で最も有名
なミーアキャットを意味します（**口絵1-1**、**図1-3**）。この、ミーアキャッ
トの英名は「meerkat」なので、英語でネコを意味する「cat」では
ありません。むしろ、「ミーアカット」と表記するべきですね。とこ

memo
エンピツナミタナイスは「鉛筆みたいな椅子」ではなく、「鉛筆みたいな甲殻類」。
タナイス目のナミタナイス属に分類され、削った鉛筆のような頭部（円錐形で

ろが語源をたどると、キャットでも
いいような気がしてきます。

　ミーアキャットという名前は、か
れらが分布する南アフリカ共和国の
言語「アフリカーンス語」[※3]に由
来したものです。アフリカーンス語
で、「miere」はアリ、「kat」はネコ
なので、おそらく「アリ（塚）の（上
に立って日を浴びる）ネコ（みたい
なやつ）」という意味なのでしょう。
つまり、カットでもキャットでも意
味は変わらないので、目くじら立て

図1-3　ミーアキャット

て「キャットじゃねーよ、カットだよ！」と主張するほどではなさそ
うです。

　さて、話を漢字に戻すと、中国と日本では漢字表記の違うものがけっ
こうあります。たとえば、中国語で「麻雀」は、テーブルゲームでは
なく鳥のスズメです[※4]。また、日本では「麒麟」と書いて哺乳類も
聖獣も表しますが、中国では聖獣のみを指し、哺乳類のほうのキリン
は「長頸鹿」と書きます[※5]。そして、身近な哺乳類のハクビシンを
日本語では「白鼻芯（白鼻心）」と書きますが、これは鼻から額にか
けて、顔の中央部（芯）を通る白い筋が名前の由来です。この漢字名
は日本でつけられたものらしく、中国語ではハクビシンを「果子狸」
と書きます[※6]。

　ほかにも、中国では「犬」や「豚」など、時代が変わるにつれてあ
まり使われなくなった漢字があります。現代中国語では、一般的な意
味でのイヌには「狗」を使い、「犬」は分類名（犬科）など限定的に
使われているそうです。また、中国語でブタを意味するのは「猪」で、
イノシシは「野猪」と表現します。「豚（豕）」は日本語で「いのこ」

先端が黒い）が特徴の種であることから名づけられた。

とも読むように、もともと「イノシシの子」の意味で、現代中国語での使用例は「投珠与豕（豚に真珠）」や「海豚（イルカ）」「河豚（フグ）」「豚鼠（モルモット）」など、やはり使われ方は限定的です。

● 「猿」と「猴」

　日本に生息するサルは、ヒトを除けばニホンザルのみです。でも、中国では古くからいろいろな種類のサルが知られていました。そのため、大まかに2種類の漢字を使い分けています。それが、「猿」と「猴」です。

　中国では、「猿」を類人猿の意味で使い、「猴」はそのほかのサルを意味します。たとえば、テナガザルは「長臂猿」、ニホンザルは「日本獼猴」、キツネザルは「狐猴」、アイアイは「指猴」という具合です。大型類人猿も分類学的には猿ですが、種を表す場合は「婆羅洲猩猩（ボルネオオランウータン）」「黒猩猩（チンパンジー）」「西部大猩猩（ニシゴリラ）」のように「猩猩」を使います。

　では、なぜ日本ではニホンザルに「猿」の字が使われるのでしょう。これはおそらく、ニホンザルの尾が極端に短いためです。類人猿の大きな特徴として、尾が退化していることが挙げられます。そのため現代の中国でも、「猿とは尻尾を持たないサル」だと説明されることが少なくありません。昔の日本人は本物の類人猿を見たことがなかったので、「ニホンザルは尻尾がないように見えるから『猿』」だと思っても不思議ではないでしょう。

　ちなみに、英語でもサルの名称は細分化されています。サル全体は「primate」、類人猿は「ape」、新世界ザル（広鼻猿類）と旧世界ザル（オナガザル類）は「monkey」、メガネザルは「tarsier」、キツネザルは「lemur」という具合です。また、類人猿のテナガザルは「gibbon」、旧世界ザルのヒヒは「baboon」など、サルの種類によってもさまざまな呼び名があります。

memo

類人猿とは、ヒト上科（テナガザル科、ヒト科）からヒトを除いたもの。中国語の「猿」にもヒトはふくまれない。

※1 生きものの名前に限ったことではないが、新語に漢字を当てはめる場合、まずは国営報道機関である新華通訊社（新華社通信）が示し、それにしたがう例が多い。

※2 日本語の音読みは、隋や唐の時代に伝わってきた読み方（中古音）なので、現代中国語の発音とは異なるものが多い。

※3 アフリカーンス語は、南アフリカを統治していたオランダの言語から派生したもの。オランダ語は、英語、ドイツ語などと同じ西ゲルマン語派で、「kat」と「cat」は語源が同じ。ちなみに、ドイツ語ではネコを「katze（カッツェ）」という。

※4 中国語では「麻雀」を「麻将」と書き、日本語では「スズメ」を「雀」と書く。

※5 「頸（首）の長い鹿」という意味。かつては中国でも、哺乳類のキリンを「麒麟」と表記していた時代があった。

※6 「果子（果物）を食べる狸」という意味。ただし、台湾語では「白鼻芯」とも書く。

(mini コラム) 猩猩 とは？

　中国語で大型類人猿を表す「猩猩」とは、もともとは伝承上の獣の名。この獣は人間の言葉を理解し、毛は赤く、大酒飲みであるといわれます。しかし、その猩猩の正体を探ると、オランウータンの可能性があり、16世紀の中国で出版された『本草綱目』では、猩猩とオランウータンを同一視しています。

　また、猩猩の毛が赤いことから、名前に「ショウジョウ」とつく生きものは、赤い色をしています。ショウジョウトキは羽毛が朱色のトキ、ショウジョウエビは茹でる前から真っ赤なエビ、ショウジョウトンボはオスのみ全身が真っ赤になるトンボ、ショウジョウバエは複眼が赤く、しかもお酒のにおいを好むハエです。

スマトラオランウータン

日本でつけられた漢字名

●日本オリジナルの国字

　生きものを表す漢字は、すべて中国から来たのかというと、そんなことはありません。たとえば、日本でクヌギを表す漢字には以下のようなものがあります。

　「椚」「椡」「椢（楜）」「橡（櫟）」「椪」「櫪」「橡」「栩」

　中国語ではクヌギを「麻櫟」と書き、「櫟」や「橡」はクヌギをふくむコナラ属の木々を表す際に使われます。一方、日本で最もよく使われるクヌギを表す漢字は「椚」ですが、「椚」と「椡」は日本でつくられた「国字（和製漢字）」で、中国では使われていません。

　クヌギは大昔から薪として使われてきた重要な樹種なので、文書に記載される機会も多かったでしょう。そのため、それぞれの地域でクヌギに対して漢字が当てはめられていったのだと思います。

　また、これらの漢字が表すのは、1つの樹種とは限りません。「櫟」はイチイガシの意味でも使われ、「橡」と「栩」はトチノキの意味でも使われます。つまり、漢字と樹種が厳密に対応していないのです。おそらく、文書で樹種を伝えるのは難しいため、全国で種名がなかなか統一されず、樹種の混同が起きたのでしょう。また、地域によっていろいろな漢字が使われていたため、同じ漢字がよその地域では別の樹種に当てられたということもありそうです。

●生きものを表す国字

　日本生まれの「国字」は全部で2,600字くらいありますが、生きものを意味する漢字が少なくありません。以下はすべて、生きものを表

<hr />

memo

フグ科のキタマクラは、猛毒を持つことからつけられた名前。釈迦が死に際して、北へ頭を向けて横になったという「頭北面西」の故事にちなむ。

す国字です。

部首が「木」

「杤（とち）」「栃（とち）」「杦（すぎ）」「椙（すぎ）」「枬（もみじ）」「柾（まさき）」「栂（つが）」「梻（しきみ）」「椛（かば）」「椚（くぬぎ）」「椡（くぬぎ）」「椣（しで）」「椥（なぎ）」「椨（たぶのき）」「楿（かつら）」「榁※1（むろ）」「榊（さかき）」「橳※2（ぬで）」「榀※3（しな）」「樢（かし）」「樫（かし）」「欟※4（つき）」

部首が「鳥」

「鳰※5（にお）」「鴫（しぎ）」「鵆（ちどり）」「鴾（とき）」「鵈（とび）」「鵤（いかる）」「鵥（かけす）」「鶍（いすか）」「鶎（きくいただき）」「鶫（つぐみ）」

部首が「魚」

「魸（なまず）」「魹※6（とど）」「鮃（ひらめ）」「鮇（いわな）」「鮖（かじか）」「鮗（このしろ）」「鮟鱇（あんこう）」「鮱※7（おおぼら）」「鮲（こち）」「鮴（ごり、めばる）」「鯎（うぐい）」「鯏（うぐい、あさり）」「鯐※8（すばしり）」「鯑※9（かずのこ）」「鯒（こち）」「鯰（なまず）」「鯱（しゃち）」「鯲（どじょう）」「鯳（すけとうだら）」「鰙（はや、わかさぎ）」「鰘（むろあじ）」「鰚※10（はらか）」「鰡（ぼら）」「鰯（いわし）」「鰰（はたはた）」「鱩（はたはた）」「鱈（たら）」「鱚（きす）」「鱛（えそ）」「鱪（しいら）」「鱰（しいら）」「鱫（むつ）」「鱫鱜※11（あいきょう）」

部首が「虫」

「蚫（あわび）」「蚟※12（にい）」「蛯（えび）」「蝫（えび）」「蟎（だに）」「蟐※13（もむ）」「蟼※14（ひむし）」「蟵※15（チュウ）」

memo

ナガメはカメムシ科の昆虫。菜の花（キャベツやハクサイなどアブラナ属の花の総称）の汁を吸うカメムシなので「菜亀」と名づけられた。

木や鳥や魚は、古くから各地で利用されてきた生きものであるため、種名を書き記す機会も多く、漢字が必要とされたのでしょう。とくに魚介類は利用される種が多く、中国に分布しないものもいるため、オリジナルの漢字が多くつくられたようです。日本人は中国から伝来した漢字を使いつつも、日本の生物相に合わせ、漢字をカスタマイズしていったことがうかがえますね。

　また、昆虫は種数が多いのに、ほとんど国字がつくられていません。上に挙げたものの中で昆虫を表しているのは、「蚨」と「蟷」のみです。昔は昆虫の利用価値が低かったため、細かい種名が重要視されることもなく、新たな漢字が必要とされなかったのでしょう。

※1　ネズを意味する。
※2　ヌルデを意味する。
※3　シナノキを意味する。
※4　ケヤキを意味する。
※5　カイツブリを意味する。
※6　哺乳類のトド。
※7　成長しきったボラ。
※8　ボラの幼魚。
※9　ニシンの卵。
※10　ニベあるいはマス。
※11　年を取ったアユ。
※12　タマムシを意味する。
※13　アカガエルを意味する。
※14　灯火に集まるガなどの虫。
※15　クモを意味する。

和名は1つじゃない

いろいろな別名

● 和名と標準和名

　「サンマ」や「イワシ」のように、日本語でつけられた名前を「和名」といいます。和名は1種の生きものに1つとは限らず、複数の名前を持つものも少なくありません。とくに、古くから人間に利用されてきた生きものには、地域によってさまざまな呼び名があります。これは、日本全国で名前が統一される前に、各地でつけられた名前が生き残っているためです。

　生きものの分類群[※1]によっては、使用が推奨される和名を「標準和名」と呼び、そのほかの「別名」[※2]とは区別しています。つまり、標準和名は方言に対する標準語のようなものですが、たまに「和名」が「標準和名」の意味で使われていることもあるので注意が必要です。

　魚類などの標準和名がある分類群では、図鑑でも標準和名を使い、ほかによく知られた別名がある場合は併記します。ただし、別名がいくつもあるものは掲載しきれないので、図鑑を見てもすべての別名がフォローされているわけではありません。たとえば、イシガキダイには、このようにたくさんの別名があるそうです。

イシガキダイ（標準和名）
クチジロ（年を取って口の周りが白くなったオスの別名、全国）
ササラダイ、ゴマダイ（神奈川県）

---

memo

ホホジロザメは標準和名で、ホオジロザメは別名。しかし、ホホジロザメと書かれていても、ホオジロザメと発音されることが多い。

ワサラビ（静岡県）

トウモリ、ナベ（三重県）

モンバス、コモンバス、モンワサナベ（和歌山県）

コメカミ（三重県、和歌山県、徳島県）

モンコウロウ、ホシゴウロウ、エノミコーロー（高知県）

モミジコウロウ（愛媛県）

フサ（長崎県）

コメビシャ（宮崎県）

キッコウシャ、クサ、ゴマクシャ、ゴマシチャ、ゴマヒサ、タネグサ
（鹿児島県）

ガラサーミーバイ（沖縄県）

　イシガキダイの分布は、おもに千葉県以南の太平洋側なので、地方
名もそのあたりの地域に集中しています。大昔から漁師にとって重要
な魚であったため、各地でさまざまな呼び名がつけられたのでしょう。
ただし、近縁のイシダイと混同された名前も多く、上記以外にもたく
さんの別名があります。

　こうした、各地で限定的に使われてきた名前は、その土地の人でな
ければどんな魚を指すのかわかりません。でも、日本全国で使われる
標準和名があるおかげで、ササラダイもコメカミもガラサーミーバイ
も、イシガキダイと同じ魚だとわかるのです。

●英語にもある別名

　このような別名は、日本独自のものではありません。たとえばピュー
マ（口絵1-2）には、英名（英語の名前）だけで40以上もあり、「最も
多くの英名を持つ哺乳類」として『ギネス世界記録』[※3]に記載され
ています。

ピューマの英名

cougar, panther, puma, catamount, painter, painted cat, red tiger,
deer tiger, mountain screamer, mountain ghost, Indian ghost,
Indian devil, ghost of the Rockies, Mexican lion, American lion,
Florida panther, Yuma cougar, Colorado cougar など

　ピューマがいろいろな名前で呼ばれるのには、理由があります。ま
ず、かれらの分布がカナダからチリにかけての広大な範囲におよび、
生息環境も森林、砂漠、高山など、多様なためです。いろいろな場所
で観察された大型のネコに、各地で異なる名前がつけられたのは自然
なことでしょう。さらに、古くから知られていたトラやライオンとは
異なり、ヨーロッパからの移民にとってピューマは新しく出会った動
物だったため、既存の名前がなかったというのも大きいと思います。
　この別名の多さゆえに、現地でもこれらが異なる動物だと思ってい
る人はけっこういるようです。たとえば、先日、コロラド州出身のア
メリカ人とお話ししたときにピューマの話題が出たのですが、「うち
の実家の近くではたまにピューマ（puma）を見かけるけど、クーガー
（cougar）は見たことがない」とおっしゃっていました。ピューマの
最も一般的な英名は「cougar」ですが、この方は実家の近くで見か
ける大型のネコ科動物を「puma」と呼び、cougarとは別の動物とし
て認識していたのです。ちなみに、標準和名には、「クーガー」では
なく「ピューマ」のほうが採用されています。
　余談ですが、ドイツのスポーツ用品メーカー「PUMA」は、「ピュー
マ」ではなく、ドイツ語風に「プーマ」と読みます。プーマの創業者
ルドルフ・ダスラーは、ルドルフの「Ru」とダスラーの「Da」をくっ
つけて、1948年に「Ruda（ルーダ）」という会社をつくりました。で
も、社名のつけ方が弟の会社とかぶっているのが気に食わなかったの
か[4]、わずか数か月で「PUMA」に変更しています[5]。

関東沿岸ではノドグロと呼ばれることがある。

なぜ、ヨーロッパに生息していないピューマを社名とロゴに採用したのか疑問ですが、元の社名ルーダと母音が同じで、かっこいい動物だったからでしょう。ナチス・ドイツは、「ティーガー（トラ）」「パンター（黒ヒョウ）」「レオパルド（ヒョウ）」といった、大型ネコ科動物の名前がつけられた戦車をヨーロッパ戦線に投入しています[※6]。ルドルフは熱心なナチス党員で、戦後にアメリカ軍の兵士に逮捕されたくらいなので、「大型ネコ科動物＝かっこいい」と考えたのは自然なことだったのかもしれませんね。

●エルクはどんなシカ？

　世界最大のシカである「ヘラジカ」の英名は、ヨーロッパでは「エルク（elk）」、北アメリカでは「ムース（moose）」です。そして、二番目に大きなシカである「アメリカアカシカ」（**口絵1-3**）は、ヨーロッパでは「ワピチ（wapiti）」、北アメリカでは「エルク（elk）」と呼ばれるため、混乱しますよね。

　でも、これにはそれなりの理由があります。ヨーロッパには「アカシカ（red deer）」と「ヘラジカ（elk）」の2種が生息していますが、アメリカアカシカはいません。そのため、ヨーロッパからの移民が北アメリカで出会った、ヨーロッパのアカシカよりもはるかに大型のシカ（アメリカアカシカ）を、ヘラジカだと勘違いしたようです。この勘違いが広まって、北アメリカではアメリカアカシカを「エルク」と呼ぶようになりました。

　でも、ヨーロッパではヘラジカを「エルク」と呼んでいるので、名前が重複します。そこで、ヨーロッパではアメリカアカシカに、アメリカ先住民の言語に由来する新たな英名「ワピチ」がつけられました。さらに、北アメリカではアメリカアカシカが「エルク」になったので、ヘラジカに新たな英名が必要になります。そこで、やはりアメリカ先住民の言語を借用して、「ムース」と名づけられたようです。

---

memo

アカムツ（ノドグロ）はホタルジャコ科に属し、ムツ科のムツやクロムツとはそれほど近縁ではない。ただし、ムツもクロムツも口の中は黒い。

ついでに、トナカイについても触れておきましょう。トナカイのヨーロッパにおける英名は「レインディア（reindeer）」です。これは、「手綱（rein）」と「シカ（deer）」を合成した名前で、古くから家畜として飼われていたことがうかがえます。このトナカイも北アメリカでは名前が変わり、「カリブー（caribou）」になりました。「カリブー」もアメリカ先住民の言語に由来する名前で、「雪かき」を意味するそうです。トナカイは冬に雪をかき分けて地衣類[※7]を食べるため、このような名前がつけられたのでしょう。

	ヨーロッパでの呼び名	北アメリカでの呼び名
ヘラジカ	エルク（elk）	ムース（moose）
アメリカアカシカ	ワピチ（wapiti）	エルク（elk）
アカシカ	レッドディア（red deer）	レッドディア（red deer）
トナカイ	レインディア（reindeer）	カリブー（caribou）

　ちなみに、日本哺乳類学会ではアメリカアカシカを種としては認めておらず、ヨーロッパから北アフリカに生息するアカシカと同種扱いです。

※1　綱、目、科など、先祖が近いものを階層的にまとめた生物のグループ。サンマであれば、脊索動物門、硬骨魚綱、ダツ目、サンマ科、サンマ属という分類群にふくまれる。また、さまざまな分類群ごとに学会があり、標準和名についてもそこで議論される。

※2　各地で限定的に使われる「地方名」や、特定の業界内で使われる「俗称」などをふくむ。ペット業界、水産業界、実験動物業界など、業界内で広く使われている名前（商品名、流通名、愛称）は、標準和名と一致しな

memo

ブラックマンバの体の色はオリーブグリーンで、ブラックなのは口の中。マンバというのはズールー語の「imamba」に由来し、毒ヘビを意味する。

いことも多い。

※3　ギネスワールドレコーズが発行する「世界一の記録」を集めた書籍。

※4　いろいろあって喧嘩別れした弟（アドルフ・ダスラー）も、1948年に
スポーツ用品メーカーを創業している。その際に、アドルフの愛称「Adi」
とダスラーの「Das」をくっつけて、「Adidas（アディダス）」という社
名をつけた。

※5　ロゴは「PUMA」だが、社名は「Puma Schuhfabrik Rudolf Dassler（プー
マ・シューファブリック・ルドルフ・ダスラー）」。

※6　いちおう、偵察用8輪重装甲車「Sd Kfz 234/2」は「プーマ」の愛称で
知られるが、パンターやティーガーのような「制式名称（軍や警察に配
備される兵器の名称）」ではない。

※7　藻類と共生関係を結ぶ菌類（真菌類）の総称。これらの菌類は必ず藻類
と共生しているため、通常はその共生体を意味する。「コケ」と呼ばれ
ることも多いが、コケ植物類ではない。

(mini コラム)　**トナカイはアイヌ語**

　トナカイという和名は、アイヌ語の「トゥナッカイ」に由来します。
この名前は、樺太探検をした間宮林蔵が初めて日本に紹介しました。
中国語でトナカイは「馴鹿」と書きますが、その理由は古くから家
畜として人間に馴れていたため。江戸時代にはすでに、樺太でもト
ナカイが飼育されていたそうです。

　トナカイのメスはシカ科では唯一、角を持ちます。ただし、メス
の角は闘争用ではなく、冬に雪をかき分けて地衣類を食べるのに使
うもの。オスは繁殖期の終わる晩秋から初冬に角が落ちますが、メ
スはその時期に生えてきます。そのため、夏に角があるのはほとん
どがオス、冬に角があるのはほとんどがメスです。

　また、中国語でアカシカは「馬鹿」と書きます。種名は、ユーラ
シアから北アフリカのアカシカが「欧州馬鹿」、北アメリカのアメリ
カアカシカが「加拿大馬鹿」です。

　ちなみに、シカ科の大型種は、ヘラジカ＞アメリカアカシカ＞ア
カシカ＞トナカイの順に体が大きくなります。

標準和名の大切さ

●たぬき・むじな事件

　ここで、標準和名の大切さを示す事件を紹介しましょう。それが、大正時代に起きた「たぬき・むじな事件」です。当時はすでに、「狩猟法※1」が施行されて数年が経っていました。そのため、指定された鳥類・哺乳類を捕まえられるのは冬のあいだだけ。3月1日以降は禁猟となっていたのです。

　ところが1924年3月3日、栃木県の猟師がタヌキを射殺します。そしてその猟師は、自分が捕まえたのはタヌキ（図1-4）ではなく、ムジナ※2だと主張しました。狩猟法のリストにはムジナの名前がなかったため、捕殺したことは合法だと訴えたのです。

　実際に当時は、ムジナという動物が存在すると大勢の人が考えていました。ただし、ムジナに対する認識は全国的に統一されておらず、大きく分けて「タヌキの別名」「ニホンアナグマの別名」「ムジナという独立種」という3つの考えがあったようです。なので、この猟師が「ムジナはタヌキではない」と主張したことは、当時の一般的な認識に合致したものでした。

　その後、この猟師はどうなったのかというと、結果的に無罪となります。なぜなら、この猟師だけがタヌキとムジナを別種だと考えていたわけではなく、ムジナという動物がタヌキとは別に存在することが広く認知されていたと、裁判で認められたからです※3。

図1-4　タヌキ

memo

オジサンはヒメジ科の海水魚の標準和名。下顎から2本のひげが伸びており、人間の男性のような顔つきであることに由来する。

さらに、この「たぬき・むじな事件」の前年には、高知県で「むささび・もま事件」も起きています。「モマ」というのはムササビの現地名。禁猟期間にムササビを捕獲した猟師が起訴され、ムササビという言葉がモマを指すとは知らなかったと主張したのです。「たぬき・むじな事件」とほとんど同じ経緯ですね。ところが、こちらの猟師は有罪となります。「むささび・もま事件」の判決は1924年4月25日、「たぬき・むじな事件」の判決は1925年6月9日ですから、ほぼ同時期にもかかわらずです。

これは、刑法の教科書でも、「事実の錯誤と法律の錯誤」の例として扱われます。つまり、（禁猟リストにはない）ムジナという動物だと確信し、タヌキを捕獲した場合は、「事実の錯誤」として過失が認められ、故意犯にはなりません（過失犯にはなる）。一方、ムササビとモマが同じものだと知らず、（禁猟リストにはないものだと思い込んで）ムササビを捕獲した場合は、「法律の錯誤」として故意犯になるということです。

当時、タヌキとは別にムジナという動物がいると誤認することは、社会的状況に照らし合わせておかしなことではありませんでした。しかし、モマというのはムササビの地方名であり、ムササビとは別にモマという動物がいると誤認する人は（ほぼ）いなかったというのが、これらの判決における重要な点です。とくに猟師であれば、禁猟リストにあるムササビが、どんな動物であるか知っていて当然だというところでしょう。

●標準和名の定義

日本全国で通用する標準和名のおかげで、私たちは同じ生きものを同じ名前で認識することができるようになりました。ただし、標準和名というのは厳格なルールに基づいてつけられるものではなく、どのようなものを標準和名とするか定義はありません。また、図鑑や博物

memo

アジ科のアジはおいしい魚だが、この名前は「味がいい」ことからからつけられた。アジというのはアジ科アジ亜科の総称で、標準和名はマアジ、ムロアジ、

館などでも必ず標準和名を使うわけではなく、著者や監修者の判断によって異なる名前を使用することはよくあります。

　たとえば、下記の左は「某哺乳類図鑑」(2014年改定版) の表記、右は『世界哺乳類標準和名リスト2021年度版』(日本哺乳類学会) の標準和名です。必ずしも、図鑑の表記と標準和名が一致していないことがわかるでしょう。しかも「バーラル (ブルーシープ)」のように、標準和名といいながら1つに絞らず、別名を認めている種もあります。

某哺乳類図鑑	世界哺乳類標準和名リスト
アジアスイギュウ	スイギュウ
ブルーダイカー (アオダイカー)	アオダイカー
サオラ (ベトナムレイヨウ)	サオラ
マウンテンゴート (シロイワヤギ)	シロイワヤギ
サイガ (オオハナレイヨウ)	サイガ
スマトラカモシカ (シーロー)	スマトラカモシカ
バーラル (ブルーシープ)	バーラル (ブルーシープ)
ノヤギ (パサン)	ヤギ
ビッグホーン (オオツノヒツジ)	ビッグホーン

※（　）内は別名として記されているもの。

　このように、わりとゆるいところのある標準和名ですが、2005年9月、「日本魚類学会」は標準和名を下記のように定義しました。この、「標準和名を定義」というのは、学会レベルでは初めての試みです。

定義および対象範囲
　標準和名は、名称の安定と普及を確保するためのものであり、目、科、属、種、亜種といった分類学的単位に与えられる固有かつ学術的な名称である。

シマアジ、ロウニンアジなどの種がいる。ただし、すべてのアジが食用に適しているわけではない。

起点

　日本産の魚類の標準和名は、原則として「日本産魚類検索：全種の同定、第二版」（中坊徹次編、東海大学出版会、2000）を起点とする。

使用範囲

　標準和名は自然科学、教育、法律、行政等、分類学的単位を特定し、共通の理解を得ることが必要な分野での使用が推奨される。ただし、それは通俗名（方言や商品名等）の使用を制限するものではない。

補足

　標準和名のない外国産魚類については、命名に関わるガイドラインの策定と合わせて引き続き議論を行うものとする。また、差別的名称については別途答申する。

「魚類の標準和名の命名ガイドライン」（日本魚類学会）より抜粋

　さらに日本魚類学会では、標準和名の諸問題を解決するため、2017年9月より「標準和名検討委員会」を設置しています。標準和名の意義をわかりやすく説明しているので、こちらもご一読ください。

　標準和名は、日本において学名の代わりに用いられる生物の名称であり、発音がしやすいこと、意味を容易に理解できること、記憶しやすいことなど、一般的になじみがない学名の短所を補う便利なものとして、対象とする生物やその関連分野の研究の進歩や普及、教育に大きく貢献してきた。このように標準和名は、社会の様々な分野で使用されてこそ意味を持つものであり、それゆえ万人に受け入れられることが強く望まれる。標準和名には普及と安定が求められているのである。

　ところが今日にいたるまで命名についての明文化された規則がないため、新しい名称の提唱、同名や異名の処理、改称といった行為は慣習によって行われているにすぎず、しばしば問題の合理的な解決を困

memo

水辺に生えるイネ科のヨシは、もともとアシと呼ばれていた。しかし、「悪し」に通じるので縁起が悪いとされ、標準和名がヨシ、別名がアシに変わっている。

難にしている。しかし一方では、流通上の名称について関連省庁が委員会を設置したり、差別的な名称の取り扱いをめぐって関連学会が独自の対応を開始するなどの動きが活発化しており、標準和名をとりまく社会情勢は急速に変化しつつある。

そこで魚類の標準和名に関わる諸問題を検討し、解決のために必要な活動を行うため、日本魚類学会に標準和名検討委員会を設置する。

「標準和名検討委員会の概要」（日本魚類学会）より抜粋

※1　1918年に施行された「鳥獣保護及狩猟ニ関スル法律」により、狩猟期間が冬季に限定されるようになった。

※2　この猟師が捕獲したタヌキは、背に十文字の斑点があることから、現地ではタヌキとは別の「十文字狢（むじな）」という動物だと信じられていた。

※3　ただし、この猟師がタヌキを射殺したのは（禁猟期間の）3月3日だが、山中の穴に閉じ込めて確保したのは2月29日なので、（2月29日を実質的な捕獲日とするならば）禁猟期間ではないという主張もしており、そちらも裁判で認められている。

(mini コラム) 標準和名の登場

標準和名という概念が登場したのは、明治時代のこと。教科書に載せる名前を統一する必要に迫られたため、学名に対応した1種につき1つの標準和名をつけるようになりました。

しかし、標準和名は必ずつけなければならないわけではなく、命名に関しても明文化されたルールはつくられませんでした。生物群によっては、日本に生息している種であっても、わざわざ標準和名をつけないこともめずらしくありません。

また、別名がいくつもある生きものでは、どれを標準和名とするのか研究者によって意見が異なることもあります。そのため、標準和名のある生物群においても、複数の標準和名が認められている場合もあるのです。

同じ生きものでも名前が変わる

●縁起の良い出世魚

　生きものの中には、成長段階によって名前が変わるものもいます。その代表的な例が、「出世魚」です。かつての日本では、武士は出世するたびに名前を変えていました。そのため、成長とともに名前を変える出世魚は縁起の良い魚だとされ、しばしば祝いの席で振舞われていたそうです。たとえば、出世魚の中でも有名なブリは、おおむね以下のように名前が変化します。

　モジャコ→ワカシ→イナダ→ワラサ→ブリ（関東）
　モジャコ→ワカナ→ツバス→ハマチ→メジロ→ブリ（関西）
　モジャコ→ワカナゴ→ヤズ→ハマチ→メジロ→ブリ（九州）

　このように名前が変化するのは、ブリは大きさによって味や用途が変わるためです。たとえば、モジャコ[※1]は稚魚なので、そのまま食べられることは少なく、養殖用に捕獲されるものがほとんどです。そして、天然物なら4年ほどかけて、ブリの段階まで成長するのですが、年齢によって大きさや脂の乗りが明らかに異なるため、名前を変えて商品の状態をわかりやすく伝えてきたのでしょう。

　現代では、刺し身で提供される場合、ブリよりもハマチをよく見かけます。これは、養殖物は生け簀の大きさに制限があるため、ハマチの段階で出荷されることが多いからです。そして、ブリの養殖は九州と四国だけで生産量の95％を占めるので[※2]、養殖物は関東でも（西日本の呼び名である）ハマチと呼ばれます。ちなみに、ブリは冬に向かって脂が乗ってきますが、養殖物は天然物に比べて脂肪分が多いため、夏でも脂の乗ったハマチが食べられるのです。

---

memo

出世魚にはほかにも、サワラ（関東ではサゴチ→ナギ→サワラ）やコハダ（関東ではシンコ→コハダ→ナカズミ→コノシロ）などがいる（ただし多くはない）。

●ボラとスズキ

　出世魚として有名なものには、ブリのほかにボラとスズキがいます。これらは、どちらも身に臭みがあるイメージかもしれませんが、それは高度経済成長期に沿岸の環境が悪化したためで※3、江戸時代には近場でよく捕れる大型の美味しい魚という扱いだったようです。以下に、関東での呼び名のみ紹介します。

　　コッパ→セイゴ→フッコ→スズキ
　　オボコ→イナ→ボラ→トド

　標準和名はそれぞれスズキとボラですが、スズキは育ちきった状態の名前なのに対し、ボラはその手前の状態を指します。この理由は、ボラの生態と関係がありそうです。ボラはオボコからボラの時期を河口や沿岸で過ごしますが、3～4年で成熟すると産卵のため外洋へ出て行ってしまいます。だから、最大サイズのトドは近海であまり見られず、ボラのほうが一般的な名前になったのでしょう。

　また、ボラの各段階の名前には、エピソードが満載です。まず、オボコは漢字で「未通女」とも書き、「生娘」といった意味があります。そのため、「未通女」という言葉自体が、未成熟なボラの幼魚「オボコ」に由来すると思われがちです。しかし、語源をたどってみると、オボコの本来の漢字表記は「産子（生まれたばかりの子）」が有力。むしろ、身近な魚だったボラの幼魚（産子）を、そのままオボコと呼ぶようになったのでしょう。

　次に、粋で気っ風が良いことを「鯔背」といいますが、これは魚河岸で働く若い衆の髪型「鯔背銀杏」に由来します。月代を青々と剃り、その上に軽く広げて跳ね上げた髷の形を、若魚「イナ」の背中と背びれに見立てたそうです。

　そして、トドは最大級に育ちきった状態なので、「止め」「到頭」な

図1-5　トド

どを由来とする説があります※4。これは、アシカ科のトド（**図1-5**）も同様らしく、ニホンアシカと比較して最大級に育ちきった状態だと思われたのでしょう。さらには、「行きつくところ」を意味する「とどのつまり」も同源で、「止め詰まる」が変化したものとされています。

●混沌としたサケの仲間

出世魚ではないけれど、育った環境で名前の変わる魚がいます。それが、サケの仲間（サケ科）です。英語では、サケ科の魚のうち、生涯を川や湖など淡水で生活する「陸封型」を「トラウト（trout）」、成長の途中で海に降りる「降海型」を「サーモン（salmon）」といいます。陸封型なのか降海型なのかは、種ごとに決まっているわけではありません。同じ種でも一生の過ごし方には違いがあり、育った環境によって見た目が大きく変わります※5。陸封型は成長してもあまり変わりませんが、降海型はたくさん食べて巨大化するため、まるで別の魚のようです。そのため、以下のように違う名前で呼ばれます。

降海型	陸封型
ベニザケ（標準和名）	ヒメマス
サクラマス（標準和名）	ヤマメ
サツキマス（標準和名）	アマゴ
スチールヘッド	ニジマス（標準和名）
シートラウト	ブラウントラウト（標準和名）
アメマス（標準和名）	エゾイワナ

memo

サケ科には、イワナ（char）、オショロコマ（Dolly Varden）、イトウ（huchen）のように、名前にサケ（salmon）ともマス（trout）ともつかない魚もいる※6。

先ほど、陸封型をトラウト、降海型をサーモンといいましたが、一般的にトラウトは「マス」、サーモンは「サケ」と訳されます。でも、表を見ると、そうはなっていませんね。そもそも狭義のサケとは、すべての個体が降海型の「サケ（標準和名）」を指します。ほかに、和名にサケがつくのは、同じく降海型のベニザケとギンザケ、それに日本近海には生息しないタイセイヨウサケくらいのものです。一方、マスと呼ばれるものには陸封型も降海型もおり、サケもマスも分類や生態でまとめられた名称ではありません。実際のところ、サケ科からサケ、ベニザケ、ギンザケ、タイセイヨウサケを除いたものが、マスと呼ばれているような状況です。ちなみに、狭義の英名「salmon」はタイセイヨウサケ、「trout」はブラウントラウトを表します。

　また、サケ科の魚は食用として重要なため、商品名がつけられることも少なくありません。なかには、トラウトサーモン（サーモントラウト）という、サケとマスをあわせた混沌とした商品名もあります。このトラウトサーモンというのは、ニジマスの降海型（スチールヘッド）のことで、日本独自の名称。ニジマスの英名は「rainbow trout（降海型はsteelhead）」といいます。

サケ科の利用例と主な原料

利用例	原料の標準和名（商品名）
スモークサーモン	マスノスケ（キングサーモン）
	ベニザケ（レッドサーモン）
	タイセイヨウサケ（アトランティックサーモン）
寿司・刺身（サーモン）	ニジマス（トラウトサーモン）
	タイセイヨウサケ（アトランティックサーモン）
ます寿司	サクラマス
	ニジマス（トラウトサーモン）
鮭フレーク	サケ（シロザケ）

memo

イクラは「魚卵」を意味するロシア語に由来する。ロシア語ではイクラを「クラースナヤ・イクラー（赤い魚卵）」、キャビアを「チョールナヤ・イクラー（黒い魚卵）」と呼ぶ。

鮭缶	カラフトマス（ピンクサーモン）
イクラ	サケ（シロザケ）
	カラフトマス（ピンクサーモン）

●家畜の呼び分け

　日本では、食用魚がいろいろな名前で呼び分けられてきた一方で、家畜の名前についてはあまりバリエーションがありません。その理由は、日本では長いこと、牧畜が盛んでなかったためでしょう。

　日本では仏教が広まった675年に、天武天皇によって「肉食禁止令」[7]が出されました。これは、仏教が殺生を禁止していたためです。当初から禁止されていたのは、いわゆる「五畜（ウシ、ウマ、イヌ、サル、ニワトリ）」ですが、その後も何度か肉食禁止令が出され、奈良時代になるとキジやカモなど野鳥の肉以外はほとんど食べられなくなっていたようです[8]。

　時代が下って江戸時代になっても、表向きは肉食が禁止されたまま。そのため、明治時代になるまで大規模な牧畜が行われず、牛乳すらほとんど利用されていませんでした。ただし、野鳥や魚は肉食禁止の対象外だったので、日本人は鳥や魚への執着が強かったのでしょう。

　一方、ヨーロッパにおいては、数千年前からウシ（オーロックス）やウマ（ターパン）などの家畜化が行われており、重要な食料とされていました[9]。そのため、日本語とは異なり、ウシやウマを表す英単語がたくさんあります。

ウシ

cattle：（家畜の）ウシ
bovine：（野生種もふくむ）ウシの仲間
bull：去勢されていないオスのウシ
ox：去勢された（使役用の）オスのウシ

memo

英語には子どものみ別の名で呼び分ける動物もいる。イヌの子は「puppy」、ネコの子は「kitten」、ウシの子は「calf」、ヤギの子は「kid」、ヒツジの子は「lamb」、 steer：去勢された（肉用の）オスのウシ

bullock：去勢された（若い）オスのウシ

cow：メスのウシ、乳牛

heifer：（出産していない）若いメスのウシ

calf：子牛、子牛の皮

veal：子牛、子牛の肉

beef：肉牛、牛肉

ウマ

horse：ウマ

stallion：去勢されていないオスのウマ

sire：種牡馬

gelding：去勢されたオスのウマ

mare：メスのウマ

foal：子ウマ

colt：オスの子ウマ

filly：メスの子ウマ

horsie：ウマ（幼児語）

gee-gee：ウマ（幼児語）

mustang：（スペイン人が持ち込んだ）北アメリカで野生化したウマ

bronco：北アメリカ西部で野生化している（気性の荒い）ウマ

horseflesh：（複数の）ウマ、馬肉

cob：脚が短く丈夫なウマ

pony：小型のウマ

steed：ウマ（古語）

caple：ウマ（古語）

hayburner：（競馬用の）ウマ（アメリカの俗語）

neddie：ウマ（オーストラリアの俗語）

ブタの子は「piglet」、ニワトリの子は「chick」、アヒルの子は「duckling」、
ガチョウの子は「gosling」、カエルの子（オタマジャクシ）は「tadpole」。

もちろん、英語話者の多くは、こうした使い分けを正確にはしていません。それでも、日本人と比べて、家畜に対する興味が強いことは感じられるでしょう。

　さらに、ところ変わってアラビア語圏では、ヒトコブラクダが重要な家畜になります（口絵1-4）。そのため、アラビア語にはヒトコブラクダを表す単語が100以上もあり、ラクダの状態や数によって呼び分けるそうです。以下にその一例を示します。

ヒトコブラクダ

ジャマル：オスのラクダ

ナーカ：メスのラクダ

ダーイル：強いオスのラクダ

フヤージュ：発情期のオスのラクダ

ムサイヤル：発情期のメスのラクダ

ハーイル：妊娠していないメスのラクダ

ムアッシャル：妊娠したばかりのメスのラクダ

ヒルファ：半年以内に出産したメスのラクダ

ウシュラー：半年以上前に出産したメスのラクダ

ハルージュ：子どもを失って悲しんでいるメスのラクダ

ハフート：子どもを失ったことを忘れたメスのラクダ

アダム：白いラクダ

アシュアル：尻尾だけ色の違う白いラクダ

ミウターゥ：首が長く、痩せていて、体毛が薄いラクダ

ザウド：3 〜 10頭のラクダ（の群れ）

ライラ：300頭のラクダ（の群れ）

ハウム：1,000頭のラクダ（の群れ）

ファーヒヤ：すべてにおいて優れているラクダ

ジャフール：臆病なラクダ

memo

ラクダ科には、ラクダ属のフタコブラクダとヒトコブラクダ、ラマ属のラマとビクーニャがいる。フタコブラクダの原種（亜種）は生き残っているが、ヒト

シャルード：すぐに逃亡し、捕まえるのが難しいラクダ

ハーミル：野良ラクダ

ハヤーム：喉が乾いているラクダ

ハーファ：すぐに喉が乾くラクダ

ザーヒラ：毎日、水を飲むラクダ

ギブ：2日に1回、水を飲むラクダ

リバア：3日に1回、水を飲むラクダ

　ラクダに対する狂気じみた愛を感じますね。ただし、こうした使い分けをしているのは、ごくわずかな人だけだそうです。そもそも、ラクダとともに生活をしていなければ、使い分ける機会すらないでしょう。このあたりは、ほとんどの日本人が出世魚を正確に呼び分けるわけではないのと同じようなものですね。

※1　「藻」にくっついて泳ぐ「雑魚」の意味。

※2　2019年のデータ。ブリ養殖の生産量10万4,055トンのうち、鹿児島県が25.6％、大分県が17.1％、愛媛県が15.9％、宮崎県が9.3％、高知県が8.0％、長崎県が7.4％、香川県が5.7％、熊本県が4.0％、徳島県が1.9％を占めている。

※3　生活排水や工場排水が川から海へと流れ込み、河口や沿岸域の水底に溜まっていった。とくに、ボラは水底の泥を食べる「デトリタス食」なので、身が臭くなりやすい。スズキは肉食魚だが、汚染された海域の魚を食べることで身が臭くなる。

※4　成熟したトドは産卵のため外洋に出てしまい、沿岸には二度と戻ってこないことから、「遠う遠う」だとする説もある。

※5　淡水域でそこそこ大きくなれたものは淡水にとどまり続け、小型の個体は降海し大型化して帰ってくる傾向にある（つまり大きさが逆転する）。

※6　オショロコマの英名は、チャールズ・ディケンズの小説『バーナビー・ラッジ』の登場人物であるドリー・ヴァーデンに由来するもの（そのため頭文字が大文字）。オショロコマの赤い斑点模様が、ドリー・ヴァーデン様式のドレスのように華やかなことから名づけられた。

コブラクダの原種はすでに絶滅。また、ラマの原種がグアナコ、ビクーニャの家畜種がアルパカで、どちらも亜種扱い。※種の分類は日本哺乳類学会による。

※7 『日本書紀』には天武天皇の言葉として、以下のようなことが記されている（意訳）。

「今後、漁師や猟師は、檻や落とし穴、槍罠のようなものを設置することがないように。また、4月1日から9月30日までは、川に魚を捕まえるための梁などを置いてはいけない。そして、牛・馬・犬・猿・鶏の肉を食べてはいけない。それ以外は禁止しない。もし犯す者がいれば、その罪を問う。」

※8 ただし、山間部では狩猟が普通に行われるなど、地域差はあったようだ。また、江戸時代の中期になると、病気を治すための「薬食い」と称して、肉料理を食べさせる「ももんじ屋」も登場している。

※9 もともとは、ウマも食用として家畜化された。

miniコラム　オスとメスで名前の違うもの

　伝承上の鳥である鳳凰は、オスの名が「鳳」、メスの名が「凰」だといわれます。同様に、麒麟はオスが「麒」、メス「麟」です。また、鸞はオスのみの名称で、メスは「和」と呼ばれます。

　実在の鳥でも、オシドリ（鴛鴦）はオスが「鴛」、メスが「鴦」とされることがあります。同様に、カワセミ（翡翠）はオスが「翡」、メスが「翠」だそうです。

　また、英語にはオスとメスで呼び分ける動物がわりといます。ニワトリはオスが「cock」または「rooster」、メスが「hen」。クジャクはオスが「peacock」、メスが「peahen」。キツネのメスは「vixen」、イヌのメスは「bitch」、ヒョウのメスは「leopardess」、ブタのメスは「sow」です。

オシドリのペア（左がオス）

和名のない生きもの

●すべてに和名をつけるのは大変

ここまで、和名の説明をしてきましたが、じつは和名のない生きものも少なくありません。分類群によっては、むしろ和名のあるもののほうがめずらしいくらいです。

たとえば、哺乳類と鳥類には、基本的にすべての種に標準和名が与えられています[※1]。これは、種数があまり多くないうえに、研究者の数が多いからでしょう。多めに見積もっても、哺乳類は6,000種、鳥類は1万種くらいしかいません。これくらいの数であれば、なんとか名前をつけることができそうです。

でも、世界に3万種もいる魚類すべてに、いちいち和名をつけるのは困難です。さらに、植物は30万種、昆虫は100万種も見つかっていますから、すべてに和名をつけるのは無理ではないでしょうか。また、新たに発見された外国の種にも、漏れなく名前をつけるのは大変なことです。しかも、ものすごい苦労の果てに和名をつけたところで、外国の植物や昆虫を日本語で紹介する機会などほとんどありません。日本で見つかっている昆虫は3万2,000種くらいなので、外国にしかいない97万種もの昆虫に、日本語の名前をつけるのはあまり意味のない行為だといえるでしょう。

●外国の生きものに和名は必要？

たとえば外国にしかいない昆虫の場合、和名がつけられているのは、ゴライアストリバネアゲハ（**口絵1-13**）やサカダチコノハナナフシのような、メディアでよく紹介される種、ヘラクレスオオカブト（**口絵1-5**）やニジイロクワガタのようなペット需要の高い種、フタホシコオロギ（**図1-6**）やアルゼンチンモリゴキブリ（デュビア）のような生

---

memo

外鰓を残したまま幼形成熟することで知られるウーパールーパーは、日本でつけられた商品名。種名はメキシコサンショウウオという。

図1-6　フタホシコオロギ
生き餌のほか、食用昆虫としても流通している。

き餌として流通している種など、けっして多くはありません。また、これらの和名も標準和名ではなく、ヘラクレスオオカブトであれば、ヘラクレスオオカブトムシ、ヘルクレスオオカブト、ヘーラクレースオオカブトムシ[※2]、ディナステス・ヘラクレス[※3]、ハーキュリーズ・ビートル[※4]などの別名があります。

　たまに、あまり有名でない外国の生きものを紹介する場合には、新たに和名をつけたり、「○○の一種」として紹介したりすることがあります[※5]。和名というのは、研究者ではなく一般の人に向けた名前なので、一般の人の目に触れることのない外国の生きものには、そもそも和名が必要ありません。とくに、マイナーな分類群の生きものは、日本に分布していても和名がないことだってよくあります。

　和名がないと不便だと思うかもしれませんが、研究者や好事家は、世界共通の名前「学名」を使うため、日本語の名前がなくてもとくに困りません。というわけで、次の第2章では、学名についてお話ししたいと思います。

※1　哺乳類は日本哺乳類学会が公開している『世界哺乳類標準和名リスト』（最新版は2021年）、鳥類は山階芳麿博士が1986年に出版した『世界鳥類和名辞典』を基準にしている。ただし、新種については和名がまだつけられていないものもある。
※2　ギリシャ神話の英雄ヘラクレスは、ラテン語読みだと「ヘルクレス」、ギリシャ語読みだと「ヘーラクレース」になる。ヘーラクレースオオカブトムシという表記は、実際に『生物学名概論』（平嶋義宏著）で採用

> **memo**
> アホロートルというのは種名ではなく、メキシコサンショウウオをはじめとするトラフサンショウウオ科の幼形成熟した個体の総称。

されている。

※3　学名をカタカナ化したもの。

※4　英名をカタカナ化したもの。以前、東京都立大学の山崎柄根教授に「最近（2000年当時）はハーキュリーズ・ビートルも輸入できるようになりましたし……」といわれ、一瞬、なんのことかわからず固まってしまったことがある。「ハーキュリーズ」はヘラクレスの英語読み。

※5　和名をつけることに制限はないため、研究者でなくとも自著で和名をつけることはめずらしくない。ただし、ほかの本で異なる和名をつけている可能性もあるので、「○○の一種」としたほうが無難。

(miniコラム) **シロサイとクロサイ**

　アフリカに生息するシロサイとクロサイの体色は、白とも黒ともいえないグレー。シロサイは足元の草を食べるため、上唇の先が平らで幅広く、クロサイは低木の葉をむしり取って食べるため、上唇の先が長く尖っています。

　一説によると、南アメリカに入植した英語話者が、アフリカーンス語の「広い（wyd）」を「広い（wide）」ではなく「白い（white）」だと誤解したそうです。そのため、「wydrenoster（広いサイ）」と呼ばれていた「口の幅の広いサイ」が、英語で「white rhinoceros（白いサイ）」になったといわれます。

　シロサイよりも黒いわけでないクロサイが、「black rhinoceros（黒いサイ）」になった理由は不明ですが、「非シロサイ」なので、白と対極の黒になったのでしょう。

　ちなみに、現在はアフリカーンス語においても「witrenoster（白いサイ）」「swartrenoster（黒いサイ）」と呼ばれています。

シロサイ（左）の口とクロサイの口

和名のつけ方

▲

和名の構造

●ハイイロジェントルキツネザルを分解

　学名について説明する前に、もう少しだけ和名のお話をしておかねばなりません。それは、和名のつけ方についてです。

　和名というのは基本的に、「特徴＋グループ名」で表わされます。たとえば、ハイイロジェントルキツネザル（口絵1-6、図1-7）であれば、以下のような構造です。

ハイイロ＋ジェントル＋キツネ＋ザル
サル（目）
　→　ニホンザル、テナガザルなどをふくむグループ
キツネザル（下目）
　→　ワオキツネザル、カンムリキツネザルなどをふくむグループ
ジェントルキツネザル（属）
　→　キンイロジェントルキツネザルなどをふくむグループ
ハイイロジェントルキツネザル（種）
　→　ハイイロジェントルキツネザルの標準和名

　一番後ろに位置する「ザル（サル）」が、最も大きなグループ名です。そして、サルの中でも、マダガスカルに生息するものはキツネのように鼻先が尖っているので、サルの前に「キツネ」が足されて、「キツ

memo
ブランブルケイメロミス（Bramble Cay melomys）は、2016年に絶滅が確認されたネズミ科の動物。メロミスというのはオセアニアを中心に分布するネズ

ネザル（lemur）」と呼ばれます。また、キツネザルの中でも、体つきや大きさがマーモセット（口絵1-21）※1に似ていたものには、*Hapalemur*属というグループ名がつけられました。「hapa」は古代ギリシャ語で「やわらかい」を意味します。

図1-7　ハイイロジェントルキツネザル

なので、「*Hapalemur*」を英語に訳すと「gentle lemur」、日本語ではジェントルキツネザルになったのです※2。さらに、この種は体毛が灰色がかっていたため、ハイイロジェントルキツネザルという種名になりました。

● 分類が細かくなると名前が長くなる

　生きものの中でも、昔から日本人に知られていたものは、タヌキ、キツネ、サル、シカ、モグラなど、シンプルな名前です。でも、たとえば日本各地のモグラが別の種だとわかってくると、呼び分ける必要が出てきます。そのため現在では、アズマモグラ、コウベモグラ、ミズラモグラ、サドモグラ、センカクモグラのように、基本となる生物名の「前に」修飾語を加え、呼び分けるようになりました。

　和名はこのような構造なので、ハイイロジェントルキツネザルのようにグループ名の前にグループ名を足していくと、どんどん長くなってしまいます。そのため、近縁種の多い昆虫や植物では、和名が長くなりがちなのです。

　ただし、スナネコ（図1-8）は砂漠に生息するネコですが、ウミネコ（図1-9）は海辺に生息するネコではなく、ネコのような声で鳴くカモ

ミのグループで、この種はブランブル・ケイというサンゴ礁の小さな「岩礁（ケイ）」のみに分布していたため、このような名がつけられた。

図1-8　スナネコ

図1-9　ウミネコ

メ科の鳥です。また、カワセミはセミではなく鳥、カナヘビはヘビではなくトカゲ、カマドウマはウマではなく昆虫、シロワニはワニではなくサメ、ブラックタイガーはトラではなくエビなど、たまーに基本ルールを逸脱した名前も存在します。

●漢字で書くと構造がわかりやすい

　生きものの名前を漢字で書くと読みにくいことは、31ページでお話ししました。でも、図鑑などでカタカナとともに併記されていると、意味がわかりやすくなることがあります。とくに、長い名前のものは、カタカナだと理解不能になりがちです。

　たとえば、マダラマルハヒロズコガというガをご存知でしょうか。幼虫は木くずを糸でつづり合わせ、平べったい鼓のような形の巣（蓑）をつくります（**図1-10**）。そのため、ツヅミミノムシという別名もあるのですが、長い標準和名はまるで呪文のようです。でも、漢字で書けば「斑丸翅広頭小蛾」となり、「斑＋丸翅＋広頭＋小蛾（斑模様のある、丸い翅を持つ、頭の幅が広い、小さな蛾）」だということが想像できます。

　ワカケホンセイインコ（**図1-11**）は、籠抜けした個体が野外で繁殖しており、東京ではよく見かける鳥です。こちらは漢字で「輪掛本青鸚哥」と書き、「輪掛＋本青＋鸚哥（首輪を掛けたような模様の、本

memo

ズワイガニを漢字で書くと、「頭矮蟹（頭の小さなカニ）」ではなく「楚蟹」。「楚」とは「若く細い小枝」を意味し、細長いズワイガニの脚を表現したもの。

68

図1-10　マダラマルハヒロズコガの巣（蓑）
この中に幼虫がいる。

図1-11　ワカケホンセイインコ
メスなので首輪模様がない。

当に青い、インコ）」を意味します。なお、黒い首輪模様は、オスに
しかありません。そして、この場合の「青」は緑色のことです。昔の
日本では青の示す色の範囲が広く、その名残でいまでも「信号機の青」
や「青葉」のように、緑色のものを青と表現することがあります。

　また、ニホンノウサギは、「日本の兎」ではなく「日本野兎」。つま
り、「日本のノウサギ」ということですね。一方、アマミノクロウサ
ギを辞書で引くと、「奄美野黒兎」ではなく、「奄美黒兎」あるいは「奄
美の黒兎」と書いてあります。なので、アマミノクロウサギは「奄美
群島の黒いノウサギ」ではなく、「奄美群島の黒いウサギ」だという
ことですね[3]。分類学的に見ても、アマミノクロウサギは「ノウサ
ギ（hare）」よりも「アナウサギ（rabbit）」に近い系統で、英名は
「Amami rabbit」といいます。

※1　南アメリカに生息する小型のサル。現在はマーモセットの属名は*Calli-
　　　thrix*だが、*Hapale* という属名が使われていた時期があった。
※2　「gentle」には優しいという意味もあるが、飼育下の観察によると、ジェ
　　　ントルキツネザルはキツネザルの中でも気が荒いという。また、ジェン
　　　トルキツネザルはおもにタケを食べることから、英語では「bamboo
　　　lemur」とも呼ばれる。
※3　ただし、明治時代には「奄美野兎（アマミノウサギ）」と呼ばれており、
　　　「奄美黒兎（アマミノクロウサギ）」になったのは大正時代。

突然クイズ

●コウノトリの仲間はどれ？

　突然ですが、ここでクイズです。シュバシコウは漢字で「朱嘴鸛」と書きます。見慣れない漢字ではあるものの、漢字の意味がわかれば「朱色の嘴を持つ鸛」だということがわかるでしょう。ほかにも、「○○コウ」という名前の生きものには、以下のようなものがいます（鳥以外もふくむ）。どれがコウノトリの仲間（コウノトリ科）かわかりますか。

問題1：コウノトリの仲間はどれ？（複数回答）

コハゲコウ	シロトキコウ
アカジコウ	ハシビロコウ
クロカッコウ	センニチコウ
ナベコウ	キアンコウ
キンシコウ	アカゴシベッコウ
ワレモコウ	ミミセンザンコウ

　正解は、コハゲコウ、ナベコウ、シロトキコウの3種。その中でもナベコウのみ、シュバシコウと同じコウノトリ属です。これらの漢字名と意味は、以下のとおりです。

　　コハゲコウ　小禿鸛　→　コウノトリ目コウノトリ科

　コハゲコウはハゲコウ属3種の中で最も小型。ハゲコウ（**口絵3-2**）の頭部に羽毛がほとんどないのは、ハゲワシと同じく腐肉食への適応です。ただし、コハゲコウはあまり腐肉を食べず、魚やカエルなどをよく狩ります。

---

memo

種名に「サメ（ザメ）」とついても、真のサメではないものもいる。コバンザメは硬骨魚類（真骨下綱）のスズキ目。チョウザメは硬骨魚類（軟質下綱）の

アカジコウ　赤時候　→　イグチ目イグチ科

アカジコウはハナイグチによく似た赤いキノコです。ハナイグチの別名が「時候坊（秋の訪れを告げる笠をかぶったお坊さん）」であることから、赤時候の名があります。

クロカッコウ　黒郭公　→　カッコウ目カッコウ科

クロカッコウは、托卵することで有名なカッコウの仲間。アフリカに分布しており、全身の羽毛が黒っぽいためこの名があります。ちなみに、英名は「black cuckoo」です。

ナベコウ　鍋鸛　→　コウノトリ目コウノトリ科

ナベコウは、黒光りする羽毛が特徴のコウノトリ。光沢のある黒い羽を煤けた鍋に見立てたようですが、「黒くて光沢のあるもの＝鍋」という発想は独特な気がします。

キンシコウ　金絲猴　→　サル目オナガザル科

キンシコウは中国の一部に生息する希少なサル。金色の毛（金絲）を持つ、しっぽの長いサル（猴）というのが名前の由来です。

ワレモコウ　吾亦紅　→　バラ目バラ科

ワレモコウは「吾も亦、紅い」という意味を持つ、赤い花をつける多年草です。キク科のモッコウ（木香）に似た香りがするので、「吾木香」だとする説もあります。

シロトキコウ　白朱鷺鸛　→　コウノトリ目コウノトリ科

シロトキコウは、白い羽毛が特徴のトキコウ属の鳥です。トキコウの名は、トキのようにくちばしが下向きにカーブしていることによります（コウノトリは基本的に、くちばしがまっすぐ）。

チョウザメ目。ギンザメは軟骨魚類（全頭亜綱）のギンザメ目。サカタザメは軟骨魚類（板鰓亜綱）のノコギリエイ目。

図1-12　ハシビロコウ

ハシビロコウ　嘴広鸛
　→　ペリカン目ハシビロコウ科
ハシビロコウ（口絵1-7、図1-12）はもともとコウノトリに近縁だと考えられていたため、「くちばしの幅が広いコウノトリ」を意味する名がつけられました。しかし、現在ではトキやサギに近いとされるようになり、コウノトリ目ではなくペリカン目に分類されます。

センニチコウ　千日紅　→　ナデシコ目ヒユ科

センニチコウは紅い花をつける、熱帯アメリカ原産の一年草です。花期が夏から晩秋までと非常に長いため、「千日のあいだ紅い」という名がつけられました。ちなみに「百日紅」は、広葉樹のサルスベリのことです。

キアンコウ　黄鮟鱇　→　アンコウ目アンコウ科

キアンコウは日本で最もよく食べられているアンコウの仲間（アンコウ科）。アンコウ鍋やアン肝になるのは、だいたいキアンコウ（ホンアンコウ）かアンコウ（クツアンコウ）です。「輝安鉱（スティブナイト）」を思い浮かべた方もいるかもしれませんが、輝安鉱は鉱物ですから生きものではありませんね。

アカゴシベッコウ　赤腰鼈甲　→　ハチ目ベッコウバチ科

アカゴシベッコウは腰（腹部）が赤いベッコウバチです。また、ベッコウバチという名は、翅が鼈甲（ウミガメ科のタイマイの甲羅の加工品）のように飴色で透きとおっていることによります。

memo
ハシビロコウの英名は「shoebill」。その由来は、真横から見ると「くちばし（bill）」の形が「靴（shoe）」のような形だから。

ミミセンザンコウ　耳穿山甲　→　センザンコウ目センザンコウ科

ミミセンザンコウ（**図1-13**）
は、「耳栓をしたざんねんな
コウノトリ」ではありません。
背面が硬い鱗で覆われたセン
ザンコウの仲間で、鱗のあい
だからのぞく耳介※1が名前
の由来です。

図1-13　ミミセンザンコウ

●哺乳類のクマと関係のない生きものはどれ？

　それでは続いて第2問です。名前に「クマ」とつく生きものは少な
くありませんが、名前の由来が哺乳類のクマと関係のない生きものは
どれでしょう。

問題2：哺乳類のクマと関係のない生きものはどれ？（複数回答）

アナグマ	クマナマコ
クマイタチウオ	クマネズミ
クマタカ	クマバチ
ハチクマ	クマノミ
クマゼミ	クマゲラ
クマドリ	クマイチゴ
クマザサ	クマゲヒメヒゲナガカミキリ
クマムシ	クマサカガイ

　正解は、以下のとおりです。

　アナグマ　穴熊　→　○
　アナグマは「長大な巣穴を掘る、クマに姿の似た動物」というのが

memo

青木熊吉（1864〜1940年）は神奈川県三崎町の漁師。東京帝国大学が三崎に設
けた臨海実験所で、海洋生物の採集家として活躍した。通称「三崎の熊さん」。

由来です。かつては、ヒグマ属に分類されていました[※2]。

クマイタチウオ　熊鼬魚　→　×

本種を採集した漁師の「青木熊吉」に対する献名なので、哺乳類のクマとは関係ありません。イタチというのは、顔つきがイタチに似ているためです。

クマタカ　熊鷹　→　○

クマタカは、「クマのように体が大きなタカ」というのが由来。名前に「タカ」とつく鳥の中では日本最大です[※3]。冠羽が角のように見えるため「角鷹」とも書きますが[※4]、「角」は当て字なので、語源としては哺乳類のクマと関係があります。

ハチクマ　蜂熊　→　△

ハチクマ（**図1-14**）はハチを主食とするタカです。クマタカに姿が似ていることから、「ハチを食べるクマタカ」を略してハチクマと名

図1-14　ハチクマ

づけられました。そのため、語源は哺乳類のクマではなくクマタカですが、クマタカの語源はクマなので「△」としています。ちなみに、クマタカはタカ科のイヌワシ亜科、ハチクマはハチクマ亜科なので、分類学的にはとくに近いわけではありません。

クマゼミ　熊蟬　→　○

クマゼミは「クマのように体が大きなセミ」。日本に生息するセミの中では、2番目に大きなセミです。

memo

2021年に鹿児島県の干潟で発見された甲殻類は、オシリカジリムシと名づけられた。これは捕獲時に、ハゼ科のワラスボの尻ビレに齧りついているように

クマドリ　隈取　→　×

クマドリはモンガラカワハギ科の海水魚です。歌舞伎の化粧法「隈取」（**図1-15**）に似た、体の鮮やかな模様が名前の由来で、哺乳類のクマとは関係ありません。

図1-15　歌舞伎の化粧法「隈取」（『古今俳優似顔大全』部分、歌川豊国 画、1862年）　出典：国立国会図書館

クマザサ　隈笹　→　×

クマザサはササ属の多年草です。若葉は緑色ですが、冬を越えると葉の縁が枯れて白っぽくなります。それを歌舞伎の「隈取」に見立てたのが、クマザサの由来です。ちなみに、こうした隈取模様はササ属のいくつかの種に見られるため、縁が白いからといってそれがクマザサとは限りません。

クマムシ　熊虫　→　○

クマムシは「クマのようなずんぐりした体つきの虫」というのが由来です。虫といっても節足動物ではなく、緩歩動物門に分類されます。

クマナマコ　熊海鼠　→　△

クマナマコ（**口絵1-8**）は超深海に生息するナマコです。科名のクマナマコ科はクマイタチウオと同じく青木熊吉にちなみます。しかし、種名についてはクマにちなむ可能性も否定できません[5]。

クマネズミ　熊鼠　→　○

クマネズミは体色が黒っぽいため、「ツキノワグマのような毛色のネズミ」というのが名前の由来です。ハツカネズミ、ドブネズミとともに、世界中の人間の生活圏に生息しています。

見えたため、NHKの音楽番組で人気の高かった「おしりかじり虫」にちなんだもの。

クマバチ　熊蜂　→　○

クマバチという名前は、クマのようなずんぐりした体型と、ツキノワグマのような黒い体色からつけられたようです。また、体の大きさがミツバチ科では最大級なところも、クマっぽいですね。

クマノミ　隈之魚　→　×

クマノミ（口絵1-9）は隈之実とも書きます[※6]。「隈」は「すみ」とも読むように「物陰」を意味し、イソギンチャクに隠れる習性を表しているようです。「み」というのは、魚を意味する「魚名語尾」[※7]だと考えられています。ほかにも、歌舞伎の「隈取」（図1-15）のような模様に由来するという説もありますが、どちらにしても哺乳類のクマとは関係ありません。

クマゲラ　熊啄木鳥　→　○

クマゲラは北海道および東北地方に分布しており、日本に分布するキツツキ科の最大種です。名前は、「クマのように体が大きいケラ（キツツキ）」を意味します。

クマイチゴ　熊苺　→　○

クマイチゴは赤い実をつけるキイチゴの仲間（キイチゴ属）。名前の由来は、「クマが出没しそうな山間部に生えるから」とも、「クマがよく食べるから」ともいわれます。

クマゲヒメヒゲナガカミキリ　熊毛姫鬚長天牛　→　×

クマゲヒメヒゲナガカミキリは、鹿児島県の「熊毛郡」で発見された、ひげ（触角）の長いカミキリムシです。つまり、こちらの熊は、地名由来ということになります。

---

memo

くちばしの大きいオオハシ科の鳥の中でも、体がやや小さいものはチュウハシといい、チュウハシよりもさらに小さいものはコチュウハシという。

クマサカガイ　熊坂貝　→　×

　クマサカガイは貝殻がとても薄く、殻の上に小石やほかの貝殻を貼りつけて補強します（**口絵1-10**）。その姿を、伝説上の盗賊「熊坂長範（ちょうはん）」が、七つ道具（一説に、薙刀（なぎなた）、鎌、刺股（さすまた）、斧（おの）、熊手、槌（つち）、鋸（のこぎり））を背負った姿にたとえたものだそうです。そのため、漢字に熊は入っていますが、哺乳類のクマに由来したものではありません。

※1　哺乳類に特徴的な、耳の穴の外部を覆っているもの。いわゆる「耳」。

※2　ただし、アナグマはクマ科ではなくイタチ科。詳しくは114ページの「ヒグマとアナグマは同属だった」を参照。

※3　一般に、タカ科の大型種を「ワシ（eagle）」、小型種を「タカ（hawk）」という。ただし、あまり厳密ではなく、クマタカもハチクマもカンムリワシより大きい。ちなみに、タカ科のトビ亜科は英語で「kite」と呼ばれ、これはゲイラカイトのような洋凧（ようだこ）も意味する。

※4　ハチクマは「蜂角鷹」とも書く。ちなみに、南アルプスワインアンドビバレッジ株式会社で製造・販売しているウイスキーには、「蜂角鷹」および「角鷹」という商品名がつけられており、著者も愛飲している。

蜂角鷹　　　　　蜂角鷹 Clear　　　　　角鷹
南アルプスワインアンドビバレッジ株式会社

※5　そのずんぐりした体つきは、クマやクマムシを想起させる。また、クマナマコ（*Elpidia kurilensis*）が記載されたのは1971年と科名の記載（1882年）よりもはるかに遅く、種小名は採集地の千島列島（クリル列島）にちなむ。そのため、青木熊吉とはまったく関係がない。

※6　「熊之実」と書くこともあるが、語源に哺乳類のクマは関係ない。

※7　名前の語尾につけて、魚であることを表す言葉。魚名語尾はほかに、「じ」（姫魚・ヒメジ）、「ぜ」（虎魚・オコゼ）、「め」（平魚・ヒラメ）、「よ」（糸魚・イトヨ）などがある。

いろいろな修飾語

●大きいことの表し方

　和名の修飾語には、よく使われる言葉があります。たとえば、色（アカ、アオ、シロ、クロ）や形（ツノ、コブ、トゲ、ヒゲナガ）、模様（シマ、マダラ、ブチ、スジ）、地名（ニホン、エゾ、アマミ、リュウキュウ）などですね。ここではまず、体が大きいことを表す言葉を紹介しましょう。以下は、近縁種に比べて大型であることを示す修飾語の例です。

オオ（大）

オオカンガルー、オオアリクイ、オオガラゴ、オオワシ、オオアナコンダ、オオサンショウウオ、オオウナギ、メコンオオナマズ、オオシャコガイ、オオクモヒトデ、オオカマキリ、オオオバボタル、オオグソクムシ（口絵1-11）、オオヤマザクラ

オニ（鬼）

オニネズミ、オニクイナ、オニゴジュウカラ、オニイトマキエイ、オニカマス、オニヒトデ、オニクモヒトデ、オニグモ（口絵1-12）、オニヤンマ、オニナラタケ、オニバス

オウサマ（王様）

オウサマペンギン、オウサマウニ、オウサマボウバッタ、オウサマサビウバタマムシ、オウサマゲンゴロウモドキ

コウテイ（皇帝）

コウテイハダカオネズミ、コウテイペンギン、コウテイギンヤンマ、

---

memo

日本産のクワガタムシにも、大小の表現を使った種名がある。大きいほうから順番に、オオクワガタ＞ヒメオオクワガタ＞コクワガタ＞チビクワガタ＞マメクワガタ。

コウテイブローチハムシ、コウテイグソクムシ

テイオウ（帝王）
テイオウコメネズミ、テイオウキクガシラコウモリ、テイオウキツツキ、テイオウムカシヤンマ、テイオウゼミ

ダイオウ（大王）
ダイオウジェネット、ダイオウイカ、ダイオウゴカクヒトデ、ダイオウクラゲ、ダイオウグソクムシ、ダイオウマツ

トノサマ（殿様）
トノサマガエル、トノサマバッタ、トノサマゴカイ

ヨコヅナ（横綱）
ヨコヅナイワシ、ヨコヅナツチカメムシ、ヨコヅナクマムシ

ゴライアス（Goliath）[※1]
ゴライアスジネズミ、ゴライアスガエル、ゴライアスグルーパー、ゴライアストリバネアゲハ（口絵1-13）、ゴライアスオオツノハナムグリ、ゴライアスバードイーター

ジャイアント（giant）[※2]
ジャイアントバンディクート、ジャイアントオオミミオヒキコウモリ、ジャイアントユビナガコウモリ、ジャイアントジェネット、ジャイアントパンダ、ジャイアントイランド、ジャイアントモア

ダイ（大）
ダイサギ、ダイシャクシギ、ダイウイキョウ

memo

ダイオウヒラタクワガタの種小名「*bucephalus*」は、ギリシャ語で「ウシの頭」を意味する。太く湾曲した大顎をウシの角に見立てたもの。

図1-16　オオオニバス

いろいろな表現を挙げましたが、よく使われるのは「オオ」で、「オニ」がそれに続きます。そのほかの表現は、命名者の好みによって使われる程度で、上記以外はあまり見かけません。

なかには、「オオ」と「オニ」が重複して使われているものもいます。たとえば、オニバスは巨大な葉をつけるスイレンの仲間（スイレン科）ですが、オニバスよりさらに大きな葉をつけるものは、オオオニバス（図1-16）と名づけられました。また、カッコウの仲間（カッコウ亜科）でもとくに体が大きいものをオニカッコウといい、それよりさらに大きい、カッコウ亜科の最大種がオオオニカッコウです。そして、日本にも分布する、クイナ科のバンと、より大きな近縁種のオオバン。そのオオバンの仲間（オオバン属）で最大なのが、南アメリカのオニオオバンです。

　ちょっと趣旨から外れてしまうのが、オオハシ科で最も体が大きいオニオオハシ（口絵1-14）。こちらの「オオ」が修飾するのは「はし（くちばし）」、「オニ」が修飾するのは「オオハシ（鳥）」なので、重複使用とはいえないかもしれません。

　また、「皇帝（emperor）」というのは、「王（king）」よりも上位の称号です。あまり種名における使用例は多くありませんが、ペンギン科にはどちらも採用されています。発見当時、最大だったペンギンが「オウサマペンギン（king penguin）」と名づけられ、のちに発見されたより大きなペンギンに、「コウテイペンギン（emperor penguin）」の名が与えられました（口絵1-15）。これは、うまくはまった使用例で

memo

ダイオウヒラタクワガタの「ダイオウ」はその大きさではなく、アレクサンドロス大王に由来する。その理由は、アレクサンドロス大王の愛馬の名「ブケファ

すね。

　ほかにも、「帝王」「大王」という似たような称号がありますが、これらは日本語と英語が一致しません。たとえば、テイオウキツツキは「imperial woodpecker（皇帝のキツツキ）」、テイオウゼミは「empress cicada（女帝ゼミ）」、ダイオウジェネットは「king genet（王様ジェネット）」、ダイオウイカは「giant squid（巨人イカ）」という具合です。

●小さいことの表し方

　大きいことを表す修飾語があれば、逆に小さいことを表す修飾語もあります。以下はその代表例です。

ヒメ（姫）

ヒメウォンバット、ヒメクロウミツバメ、ヒメウミガメ、ヒメアマガエル、ヒメマス、ヒメヒトデ、ヒメギフチョウ、ヒメグモ、ヒメキクラゲ、ヒメヘビイチゴ

コ（小）

コアリクイ（口絵1-16）、コセミクジラ、コアホウドリ、コアジサシ、コスジイシモチ、コカブト、コタマゴテングタケ、コアツモリソウ

コガタ（小型）

コガタヤチマウス、コガタキミミコウモリ、コガタハナサキガエル、コガタブチサンショウウオ、コガタスジシマドジョウ、コガタスズメバチ、コガタシロアミメグサ

ショウ（小）

ショウガラゴ、ショウハナジログエノン、ショウオヒキコウモリ

ロス」を種小名とするため。ブケファロスにはウシのような角が生えていたとも、額にウシの角のような模様があったともいわれる。

チビ（禿び）

チビシマリス、チビコメネズミ、チビキミミコウモリ、チビクモヒトデ、チビミズムシ、チビクワガタ、チビコブスジコガネ、チビホコリタケ、チビウキクサ

図1-17　コビトマングース

コビト（小人）

コビトカバ（口絵3-3）、コビトキツネザル、コビトマングース（図1-17）、コビトハツカネズミ、コビトカイマン、コビトカメレオン、ツラナガコビトザメ、コビトオオベソマイマイ

ピグミー（pygmy）

ピグミーマダラスカンク、ピグミーツパイ、ピグミーマーモセット、ピグミーテグー

ドワーフ（dwarf）

ドワーフボンネットオヒキコウモリ、ドワーフサイレン、ドワーフグラーミィ

ミジン（微塵）

ミジンベニハゼ、ミジントビムシ、ミジンハサミムシ、ミジンダルマガムシ、ミジンナタネガイ、ミジンマイマイ

ヒナ（雛）

ヒナコウモリ、ヒナハゼ、ヒナバッタ、ヒナギク、ヒナゲシ

─ memo ─

ヨコヅナサシガメは日本に生息するカメムシ目サシガメ科の中で最大種だが、和名は体の大きさに由来するものではないらしい。形が相撲の軍配に似ている

マメ（豆）

マメトガリネズミ、マメジカ（口絵1-17）、マメリス、マメハチドリ、
マメオニガシラ、マメウニ

レッサー（lesser）

レッサーパンダ（口絵1-18）、レッサースローロリス、レッサークーズー、
レッサーサイレン

ミニ（mini）

タイヘイヨウミニサンマ、ミニブッシープレコ、ミニホソハマキ

ミクロ（micro）

ミクロミミナガヘラコウモリ、ミクロヒメカメレオン、ミクロラスボ
ラブルーネオン

　この中でよく使われるのは「ヒメ」や「コ」、そして「コガタ」「チ
ビ」がそれに続きます。ただし、使用頻度の高い修飾語は分類群によっ
て違いがあり、大きいことを表す修飾語よりもバリエーションは豊富
です。

　そしてこちらにも、ヒメマメリスやショウコビトキツネザルのよう
に修飾語を重複させ、小型のグループの中でもとくに小さいことを表
すものがいます。なかでもコビトチビコハナバチは、「コビト」「チビ」
「コ」の3つを使った贅沢な名前です。

　ちなみに、日本にゲンゴロウの仲間（ゲンゴロウ科）は130種以上
生息していますが、その最大種にはシンプルな「ゲンゴロウ」という
標準和名がつけられています。そのため、ほかのゲンゴロウ科の名前
には、小さいことを表す修飾語がつけられがちです。

からとも、体の縁にある縞模様が相撲取りの締める化粧まわしのようだからと
もいわれるが、どちらの理由も腑に落ちないものがある。

ゲンゴロウ＞コガタノゲンゴロウ＞ヒメゲンゴロウ
　　＞マメゲンゴロウ＞ケシゲンゴロウ＞ツブゲンゴロウ
　　　＞チビゲンゴロウ＞チビケシゲンゴロウ

　右へ行くほど体は小さくなります。ただし、小ささの表現にこのような序列があるわけではなく、どの表現をより小さいとするかは命名者の感覚によるようです。

●似ているけど違うもの

　さて次は、「似ているけど違うもの」を表す修飾語です。あまりイメージのいい言葉ではありませんが、以下のようなものがあります。

ニセ（偽）

ニセチズガメ、ニセクロスジギンポ、ニセツムギハゼ、ニセゴイシウツボ、ニセクロホシフエダイ、ニセネッタイスズメダイ、ニセカエルウオ、ニセマツカサガイ、ニセクロナマコ、ニセアカホシカクレエビ、ニセマグソコガネ、ニセドウガネエンマムシ、ニセクロベニボタル、ニセリンゴカミキリ、ニセアカウシアブ

モドキ（擬き）

ジネズミモドキ、チスイコウモリモドキ、ゾリラモドキ、アカボウモドキ、アンテキヌスモドキ、オポッサムモドキ、ミズネズミモドキ、ヒトデモドキ、イイダコモドキ、スッポンモドキ（口絵1-19）、ショウリョウバッタモドキ、シロアリモドキ、カミキリモドキ、ガガンボモドキ、ギンリョウソウモドキ、サルオガセモドキ、ツルウメモドキ

ダマシ（騙し）

ハナダイダマシ、キリガイダマシ、ガガンボダマシ、ゴミムシダマシ、

---
memo

ケシツブムクゲキノコムシは世界最小クラスの甲虫で、体長0.7mmくらいしかない。その名のとおりキノコを食べる虫で、おしり（腹端）に尨毛（むくげ（ふさふ

テントウムシダマシ、
マルハナノミダマシ

こちらは、近縁種を呼び分けるだけでなく、見た目が似ているだけで分類群がまったく違うものを表す場合にも使われます。たとえば、同

図1-18　ゴミムシ（ミイデラゴミムシ、左）とゴミムシダマシ（ヒメスナゴミムシダマシ）

じコウチュウ目でも、ゴミムシはオサムシ亜目なのに対して、ゴミムシダマシはカブトムシ亜目と、かなり離れた分類群です（**図1-18**）。カマキリとカマキリモドキに至っては、カマキリは不完全変態のカマキリ目、カマキリモドキは完全変態のアミメカゲロウ目と、分類がかけ離れています。

　「ニセ」も「モドキ」も「ダマシ」も、昆虫ではよく見かける表現です。なかには、ニセマグソコガネダマシ、ニセクロミジンムシダマシ、ニセクロホシテントウゴミムシダマシのように、重複して使われることもあります。ただし、いままでの修飾語は、生物名の前につきましたが、「モドキ」と「ダマシ」は例外的に後ろにつきます。この用法は、「雁擬き」や「子ども騙し」と同じですね。そして、後ろに2つも修飾語がつくと、元の生きものがわかりにくくなるためか、「○○モドキダマシ」という名前の生きものは（たぶん）いません。でも、食用のレイシガイに似たレイシガイダマシと、それによく似たレイシダマシモドキという巻き貝は存在します。

　哺乳類では、ペットとしてメジャーになったフクロモモンガ（**口絵1-20、図1-19**）にも、類似した種がいます。それが、フクロモモンガダマシとニセフクロモモンガです。ただし、フクロモモンガダマシは

さした長い毛）がある。ちなみに、芥子粒（ケシの種子）の大きさは直径0.2mmくらい。

図1-19　フクロモモンガ

図1-20　チビフクロモモンガ

フクロモモンガと同じフクロモモンガ科ですが、ニセフクロモモンガはチビフクロモモンガ科という別の科に属し、「ニセ」も「ダマシ」も飛膜は小さく滑空しません。

また、昆虫のナナフシモドキ（図1-21）の別名は、なんと「ナナフシ」です。つまり、「ナナフシモドキ＝ナナフシ」で、「ナナフシに似ているけど違うもの」という意味ではありません。そもそも、「七節」とは「節がいくつもある小枝」を意味し、小枝に似た昆虫だから「七節擬き」と名づけられました。でも、ナナフシモドキの仲間（ナナフシ目）に和名をつける際には、エダナナフシ、コブナナフシ、トビナナフシのように、「モドキ」が省略されます。その結果、フルネームがナナフシという昆虫だと思われるようになり、省略形のナナフシが別名になったようです。

●基準となる生きもの

ナナフシモドキのような語尾の省略は、昆虫にはよく見られます。たとえば、カブトムシは「兜のような角を持つ虫」という意味ですが、コカブト、サイカブト、ヘラクレスオオカブト（口絵1-5）といった種

チビフクロモモンガ科には2種がふくまれ、チビフクロモモンガ（図1-20）は滑空するが、ニセフクロモモンガは滑空しない。

図1-21 ナナフシモドキ（別名：ナナフシ）

図1-22 マガモ

名では、しばしば「ムシ」が取れてしまいます。でも、「ムシ」がなくても、ヘラクレスオオカブトを「英雄ヘラクレスがかぶっていた大きな兜」だとは、まず思いません。

　アゲハチョウという名は、「花の蜜を吸うときに『翅を揚げ』るチョウ」というのが由来のようです。でも、キアゲハ、アオスジアゲハ、ゴライアストリバネアゲハ（口絵1-13）といった種名には、「チョウ」がつきません。さらに近年は、基準となったアゲハチョウという種の標準和名が、ナミアゲハになりつつあります。単に「チョウ」を取っただけでなく、頭に「ナミ」をつけて、種名かグループ名か明確にしたわけですね。このように、基準となる生きものの名前につける修飾語には、以下のようなものがあります。

ナミ（並）
ナミハリネズミ、ナミテングフルーツコウモリ、ナミチスイコウモリ、ナミマウスオポッサム、ナミプラニガーレ、ナミマイマイ、ナミテントウ、ナミザトウムシ、ナミハダニ

マ（真）
マイルカ、マガモ（図1-22）、マサバ、マアジ、マイワシ、マアナゴ、マダイ、マイカ、マヒトデ、マカラスムギ、マグワ

memo
マメウニ科にはコーヒーマメウニという種がいる。これは殻長1cm以下の小さなウニで、殻が茶色くコーヒー豆に似ているというのが名前の由来。

ホン（本）

ホンケワタガモ、ホンフサアンコウ、ホンモロコ、ホンホッコクアカ
エビ、ホンヤドカリ、ホンシメジ、ホンキンセンカ

コモン（common）

コモンマーモセット（口絵1-21）、コモンツパイ、コモンリスザル、コ
モンキングヘビ、コモンカラミント

　英語の「common」は「普通」という意味です。でも、コモンクイナ、
コモンカクレウオ、コモンカスベ、コモンウミウシなどの「コモン」
は「小紋」を意味します。昆虫にも、コモンマダラ、コモンシジミガ
ムシ、コモンホソナガクチキ、コモンホシハナノミ、コモンナガレアブ、コモンヒメガガンボなど、「コモン」のつくものは多数いますが、
私の知る限りすべて「小紋」です。もし、昆虫に「common」が紛れ
込んでいたとしても、なかなか気づくのは難しいでしょう。

　また、甲殻類のシャコ目には、シャコ科シャコ属のシャコという種
がいます（口絵1-22）。こうした種の場合、単にシャコというと、グルー
プ名なのか種名なのかわかりづらいですよね。そのため、会話の中で
「種」を強調したいときには、あえて「並シャコ」や「無印シャコ」
ということがあります。ちなみに、「無印」というのはもともとサブ
カル用語で、シリーズ化された作品の第1作[3]を意味する修飾語です。

※1　旧約聖書に登場する巨人の名（固有名詞なので頭文字が大文字）。ゴライ
　　　アスは英語読みで、原語（ヘブライ語）読みではゴリアテという。
※2　巨人を表す一般名詞。
※3　たとえば、『ジョーズ』『ジョーズ2』『ジョーズ3D』『ジョーズ'87 復讐篇』
　　　というシリーズ化された映画の中で、第1作には数字やサブタイトルな
　　　どが何もつかないことから「無印」という。

第2章

学名を知ろう

世界中で通用する名前

▲

リンネの考えた二名法

●学名はどんなもの？

　第1章では和名についてお話ししましたが、ここからは学名の話です。学名がどんなものなのかは、みなさんもおそらくご存知でしょう。たとえば、以下のようなものです。

Homo sapiens

　日本語では「ホモ・サピエンス」と表記される、ヒトという種の学名（種名）ですね（**口絵2-1**）。ここで1つめのポイントとなるのは、文字が斜体（イタリック体）だということ[※1]。なぜ斜体で表すのかといえば、もともとは「地の文章とは異なる言語が混じるとき、その部分は書体を変える」という単純な印刷上のならわしでした。しかし現在では、種名は斜体で表すことが慣例化しており、その結果として、アルファベットの文章中で種名を際立たせることができます。つまり、和名をカタカナ表記するのと同じような効果が得られるわけです。

　そして、2つめのポイントは、種の学名は2つの単語で表すということ。*Homo sapiens*であれば、*Homo*は「属名」、*sapiens*は「種小名」[※2]という種を表す学名の一部です。これは、属名が家族の名前である「姓（ラストネーム）」、種小名が個人の名前である「名（ファーストネーム）」、2つを合わせて「姓名（フルネーム）」のようなもの

memo
アサガオとサツマイモはどちらもサツマイモ属（*Ipomoea*）。同様に、ナス、トマト、ジャガイモ はナス属（*Solanum*）の近縁種。トマトとジャガイモの雑種「ポ

だといえるでしょう。ただし、人名とは違って、大文字にするのは属名の頭文字のみです。

●分類学の父、カール・フォン・リンネ

　このように、種名を2つの単語で表す方法を「二名法（二語名法）」といいます。そして、この二名法を体系化したのが、この本でこれから何度も名前が登場する「リンネ」[※3]です。リンネによる二名法の表記は18世紀前半にはじまり、1753年に出版された『植物の種』[※4]という本で初めて、掲載されたすべての種が二名法で表されました。

　この、種名を2語で表すというのは、たいへん画期的なことでした。たとえば、それまでラテン語で「*Plantago foliis ovato-lanceolatis pubescentibus, spica cylindrica, scapo tereti*（卵状披針形の葉と円筒形の穂状花序を持つオオバコ）」と表現されていたオオバコの仲間（日本に分布しないので和名なし）を、シンプルに「*Plantago media*（中くらいのオオバコ）」と表現できるようになったのです。植物や昆虫のように近い種類の生きものがたくさんいる分類群では、ほかと区別をするため名前が長くなりがちです。でも、二名法であれば、どんな生きものも2語で表すことができます。

　もともとの名前が短い場合、かえって長くなることもありますが、学名にはさらなるメリットがあります。それは、世界共通の同じつづりの名前だという点です。これにより、世界中の研究者が、それぞれの言語によらず、同じ生きものを1つの学名で表せるようになりました。しかも、種名は1種につき必ず1つという原則があるので、別名がいくつもあって混乱することは基本的にありません[※5]。

※1　ただし強制というわけではない。実際に正体（立体、ローマン体）で表記されることもある（次のページの写真参照）。また、種名のみを異なる書体で表したり、種名に下線を引いたりすることで、斜体の代わりと

マト」がつくられたこともあるが、果実も根茎もトマトやジャガイモに劣るため、農作物としては流通していない。

する場合もある。

```
Herbarium of Algae                          2004.11.22
NATIONAL SCIENCE MUSEUM, TOKYO (TNS)
        国立科学博物館植物研究部　藻類標本室（ P ）

Macrocystis pyrifera (Linnaeus) C. Agardh

Loc.:Monterey Bay, Monterey, California, U.S.A.

Date:18 Jun. 2004
Leg.:T. Kitayama
Det.:T. Kitayama
Date:20 Sep. 2005
kitayama 2004                          TNS-AL 157341
```

学名が斜体ではない例（オオウキモ　*Macrocystis pyrifera*）

※2　分類群ごとに命名規約があり、この名称には違いがある。国際動物命名
　　　規約では、英語で「species name」、日本語で「種小名」あるいは「種名」。
　　　国際藻類・菌類・植物命名規約では、英語で「specific epithet」、日本
　　　語で「種小名」。そして国際原核生物命名規約では、英語で「specific
　　　epithet」、日本語で「種形容語」。命名規約については107ページの「分
　　　類群ごとにルールが違う」を参照。

※3　カール・フォン・リンネはスウェーデンの博物学者。

※4　原題は『SPECIES PLANTARUM』。リンネはこの本において、当時知ら
　　　れていたすべての植物を「綱」「目」「属」「種」の階級に分類し、種に
　　　関しては二名法で表した。

※5　誤って複数つけられた場合のルールは、122ページの「シノニムとホモ
　　　ニム」を参照。

「ティラノサウルス」は学名？

● 古生物は基本的に属名で呼ばれる

　学名というと堅苦しく感じるかもしれませんが、恐竜図鑑を眺めると、ティラノサウルス（**口絵2-2**）などほぼすべての恐竜は学名のカタカナ表記[※1]で紹介されています。これは、恐竜に限ったことではなく、アノマロカリスやサカバンバスピスなど、古生物の名前のほとんどは学名をカタカナ化したものです。人間と共存していた時代がない古生物には、大昔から使われてきた名前が存在しません。そのため、いちいち各国の言語で名前をつけず、世界共通の学名で表すのが一般的なのです。

　でも、種の学名であれば、2語で表されるはずですよね。たとえば、ティラノサウルスの学名が「*Tyrannosaurus rex*（ティラノサウルス・レックス）」であることは、ご存じの方も多いでしょう。なのに、古生物の場合、たいていは属名のみで表されます。その理由は、1属1種のものが多いからです。

　現生の生きものの場合、メジャーな分類群で1属1種のものはそれほど多くありません。たとえばヒョウ属（*Panthera*）には、少なくとも以下の4種がいます。なので、種小名を略してしまうと、種を特定することができません。

　　Panthera leo　　ライオン
　　Panthera tigris　　トラ
　　Panthera pardus　　ヒョウ
　　Panthera onca　　ジャガー

　しかし、古生物の場合、ティラノサウルス属（*Tyrannosaurus*）を

---

memo

アジアに生息していたタルボサウルス（*Tarbosaurus bataar*）を、ティラノサウルス属にふくめる説もある。

はじめ多くのものが1属1種です。そのため、属名だけでも、どの生きものを指すのかわかります。ただし、以下のステゴサウルス属（*Stegosaurus*）のように、同属に何種か記載されているものもいないわけではありません。しかし、その違いは明確ではないことも多く、別種とするかどうかは研究者によって意見が分かれます。

Stegosaurus stenops　ステゴサウルス・ステノプス（口絵2-3）
Stegosaurus ungulatus　ステゴサウルス・ウングラトゥス
Stegosaurus sulcatus　ステゴサウルス・スルカトゥス
Stegosaurus longispinus　ステゴサウルス・ロンギスピヌス

●同種なのか、別種なのか

　私たちが動物園に行って、ライオンとトラを見間違えることはまずありません。でも、全身骨格を見比べたときに、それらが確実に別の種だといえる人はわずかでしょう。さらに、それぞれの「骨の一部」が化石として見つかった場合、それらをヒョウ属の別種とするのか、同じ種の個体差だとするのか、研究者でも意見が分かれるのです。

　もし、2つの化石の見つかった場所が遠く離れていれば、別種の可能性が高まります。でも、ライオン、トラ、ヒョウは同じインドに生息していますし、ヒョウに至っては朝鮮半島から南アフリカまでの広大な範囲に生息しており、分布だけで同種か別種か判断することはできません。

　こうしたことから、一般向けの古生物図鑑では、種の分類まで深入りせず、属名のみをカタカナ表記したものが多いのです。

　ちなみに、ヒト属（*Homo*）であれば、少なくとも以下の4種は広く認められています[2]。

Homo habilis　ホモ・ハビリス

memo
タルボサウルスをティラノサウルス属の種とするなら、タルボサウルスの学名は *Tyrannosaurus bataar*（ティラノサウルス・バタール）になる。

Homo erectus　ホモ・エレクトゥス

Homo neanderthalensis　ネアンデルタール人

Homo sapiens　ヒト

　しかし、この4種以外にも学名が記載されているものはあり、それらを種として認めるかどうかは意見が分かれます。

Homo rudolfensis　ホモ・ルドルフェンシス

Homo gautengensis　ホモ・ガウテンゲンシス

Homo ergaster　ホモ・エルガステル

Homo mauritanicus　ホモ・マウリタニクス

Homo antecessor　ホモ・アンテセッサー

Homo floresiensis　ホモ・フローレシエンシス

Homo naledi　ホモ・ナレディ

Homo cepranensis　ホモ・ケプラネンシス

Homo georgicus　ホモ・ゲオルギクス

Homo heidelbergensis　ホモ・ハイデルベルゲンシス

Homo rhodesiensis　ホモ・ローデシエンシス

Homo bodoensis　ホモ・ボドエンシス

Homo helmei　ホモ・ヘルメイ

※1　国際動物命名規約では、「学名はラテン語アルファベット26文字（k、w、y、zを含む）でつづること」という決まりがあるため、あくまでも「*Tyrannosaurus*」が学名であり、「ティラノサウルス」というカタカナ表記は学名ではない。

※2　ヒトとネアンデルタール人は混血しているといわれる。詳しくは181ページの「雑種も子孫を残せる？」を参照。

学名に使われる言語

●ラテン語は知識人の共通言語

　日本人にとって、学名に込められた意味はなかなかわからないと思います。それは、学名に使われている言語が、基本的にラテン語だからです。ラテン語というのは、古代ローマで使われていた言語なので、現在は母国語とする人がいません[※1]。つまり、ほぼ死んだ言語です。

　ではなぜ、そのような言語が学名に使われているのでしょう。それは、古代ローマの古典を読むにはラテン語の習得が必須なので、ヨーロッパの知識人にとっては当たり前の教養だったからです。かつて日本の知識人が、中国の古典を読むために漢文を学んでいたようなものですね。なので、ヨーロッパの生物学者たちにとって、ラテン語はある意味で共通の言語でした。

　また、誰にとっても日常語ではないので、ラテン語の名前は固有名詞として成立しやすいというメリットもあります。さらに、日常的に使われないということは、時代とともに意味が変化する心配もありません。そのため、ラテン語の知識があれば、200年前につけられた学名であっても、その名前に込められた意味を正しく理解することができるのです。

　ちなみに、「学名」を和英辞典で引くと「scientific name（科学的な名前）」と出ていますが、口語では「Latin name（ラテン名）」という人が多いように思います。

●ラテン語以外の学名

　ラテン語と同じく、ヨーロッパにおける知識人の必須言語であったものに、古代ギリシャ語があります。そもそも、ラテン語にはギリシャ語由来の言葉が多く、ローマ神話とギリシャ神話が密接な関係にある

---

memo

「日本の」を意味する種小名には、「*japonicus*（男性形）」、「*japonica*（女性形）」、「*japonicum*（中性形）」もある。例：*Lateolabrax japonicus*（スズキ）、*Anguilla*

ことも有名ですね。こうしたことから、学名にはギリシャ語が使われていることも少なくありません。

　ほかにも、いろいろな国の人名や地名を、ラテン語風に変化させたものもあります。日本語であれば、アズマモグラ「*Mogera imaizumii*（今泉のモグラ）」や、トキ「*Nipponia nippon*（日本の日本）」（**口絵 2-4**）、ヤヒコザサ「*Sasa yahikoensis*（弥彦山のササ）」などがそうです。

　さらに中国では、学名を中国語でつけることも増えています。恐竜の「*Guanlong wucaii*（五彩の冠龍）」や「*Mei long*（眠龍）」などは、ラテン語の「saurus（トカゲ）」を中国語の「long（龍）」に置き換えています。中国にはラテン語を教養とみなす文化がないため、このような学名は今後も増えていくのではないでしょうか。

　ちなみに、中国語由来の学名には、「*Yi qi*（翼奇）」という恐竜[※2]につけられたものがあります。学名には、「属名も種小名も2文字以上」という制限があるので、計4文字の「*Yi qi*」は最も短い種の学名です。

● 短い学名

　最短の学名を持つものは、もう1種います。それが、中国からタイ、インドに分布するイブニングコウモリ（*Ia io*）です。まるで邪神を讃えているみたいな学名ですが[※3]、実際の意味もそんな感じです。「*Ia*」はギリシャ語で叫び声を表す擬声語、「*io*」はゼウスの愛人の名前[※4]なので、あえて訳すなら「イアーッ、イオーッ！」となります。こちらも合計4文字ですが、加えて母音のみで構成されているという点で、唯一無二です。

　次に短い「*Ja ana*」は、ジャアナヒラタゴミムシの学名です。ジャアナというのは、じつは日本語。といってもお別れの言葉ではなく、愛知県豊橋市にある鍾乳洞「嵩山蛇穴（すせのじゃあな）」で発見されたため、このような名前がつけられました。ただし、ジャアナヒラタゴミムシは*Ja*属から*Jujiroa*属に移動されたため、現在の学名は*Jujiroa ana*になって

---

japonica（ニホンウナギ）、*Lethenteron japonicum*（カワヤツメ）。ラテン語の名詞や形容詞には「性」があり、種小名の性は属の性にしたがう。

います。

「*Aha ha*」というのは、現在も有効なギングチバチ科のハチ（和名なし）の学名です。これは、日本語の笑い声ではありません。このハチの標本を見た研究者が「ああ（Aha）、これは新属だね」といったところ、同僚が「ほう（ha）」と疑わしそうに返答したことが学名の由来だそうです。

もう1種、テンジクダイ科に「*Foa fo*」という学名が5文字の魚がいます。*Foa*属は和名をタイワンマトイシモチ属といい、種小名はサモア語でこの魚を表す「fo」に由来するそうです。

●長い学名

ついでに、長い学名も紹介しておきましょう。2023年時点で最も長い学名とされているのは、土壌細菌であるミクソコッカス科のこちらです。

Myxococcus
llanfairpwllgwyngyllgogerychwyrndrobwllllantysiliogogogochensis
（属名10文字＋種小名63文字）

この異様に長い種小名は、細菌が発見されたイギリスの村の名前「スランヴァイルプールグウィンギルゴゲリッヒルンドロブールスランティシリオゴゴゴッホ（Llanfairpwllgwyngyllgogerychwyrndrobwllllanty-siliogogogoch）」にちなんだものだからです。これは世界で最も長い村の名前なので、そんなところで新種の細菌を発見したら、学名に入れ込みたくなるのも仕方ありませんね。

そして、最も長い属名を持つのは、絶滅したグリプトドン科（**口絵2-5**）[5]のこちらです。

●memo

アズマモグラ *Mogera imaizumii* は今泉吉典博士に献名されたものだが、語尾に「i」が1つ多い。これは、男性の人名をラテン語化する際につける語尾。一方、

Parapropalaehoplophorus septentrionalis
（属名23文字＋種小名15文字）

　もともと「*Hoplophorus*」というグリプトドンの仲間が知られていたのですが、次々に近縁のものが発見されたため、「Palae（古い）」が足されて「*Palaehoplophorus*」、さらに「Pro（以前の）」が足されて「*Propalaehoplophorus*」、とどめに「Para（近い）」が足されて「*Parapropalaehoplophorus*」になりました。

　また、しばしば最も長い学名として紹介されのが、ミズアブの仲間のこちらです。

Parastratiosphecomyia stratiosphecomyioides
（属名21文字＋種小名21文字）

　これは、「*Parapropalaehoplophorus septentrionalis*」より4文字長いものの、「*Myxococcus llanfairpwllgwy-ngyllgogerychwyrndrobwllllantysiliogogogochensis*」に比べれば31文字も短いので、最長の学名ではありません。ただし、動物の学名としては現時点で最長です。

　かつては、ヨコエビの仲間に、より長い学名がつけられていたこともありました。

Gammaracanthuskytodermogammarus loricatobaicalensis
（属名31文字＋種小名19文字）

　この学名は、1926年にディボフスキィ[※6]が論文に記載したものです。しかし、この論文には問題がありました。新しく記載された属名が、ことごとく長かったのです。

女性の人名には語尾に「ae」をつけるのが一般的。たとえば、ヨシユキツツガムシ*Leptotrombidium yoshiyukiae*は吉行瑞子博士に献名されたもの。

Siemienkiewicziechinogammarus siemienkiewitschi

（属名29文字＋種小名17文字）

Cancelloidokytodermogammarus loveni

（属名28文字＋種小名6文字）

Axelboeckiakytodermogammarus carpenter

（属名28文字＋種小名9文字）

Garjajewiakytodermogammarus dershawini

（属名27文字＋種小名10文字）

Parapallaseakytodermogammarus borowskii

（属名29文字＋種小名8文字）

　そのため、1927年に、スミソニアン博物館のラスバン[7]など数名の研究者から、「これらの学名は大きな混乱を生み出すので使用を停止すべきではないか」という提案を受けます。すると、ディボフスキィはあっさり、「これらの学名は暫定的なもので、変更され得る」という声明を出したのです。その結果、1929年に「動物命名法国際審議会（ICZN）」によって、これらの学名は無効とされました。ちなみにディボフスキィは、その翌年の1930年1月31日に、96歳で亡くなっています。これらの長すぎる学名は、老い先短い研究者の悪ふざけだったのかもしれません。

[1]　いちおう、バチカン市国ではラテン語が公用語とされ、公文書などに用いられるが、通常の会話はイタリア語が使用されている。

[2]　中国のジュラ紀の地層から発見された獣脚類の恐竜。前足の指のあいだにあった飛膜で、滑空していた可能性がある。全長は60cmほど。日本の図鑑では、属名をカタカナにした「イー」または「イ」と表記される。

[3]　邪神（旧支配者）を讃える言葉は「Ia! Ia!」。

[4]　イオはヘラ（ゼウスの妻）に仕える神官だったが、ゼウスと関係を結んだことからヘラに恨まれる。そして、ウシの姿に変えられ監視されてい

memo

インドコブラの学名「*Naja naja*」は、サンスクリット語で「ヘビ」を意味する「ナーガ」に由来する。このように現地名をラテン語化することは多い。

たが、のちに解放されると、放浪してエジプトにたどり着き、イシス神になったといわれる人物。イオは「尻軽な（flighty）」女性とされるため、「飛翔（flight）」能力の高いイブニングコウモリの学名に採用されたのかもしれない。

※5　アルマジロ科に近縁の絶滅した哺乳類のグループ。
※6　ベネディクト・タデウシュ・ディボフスキィはポーランドの博物学者。
※7　メアリー・ジェーン・ラスバンはアメリカの動物学者。

(mini コラム)　**ゴキブリの学名**

　世界に約4,000種いるゴキブリの中でもわずか10種ほどが、家屋などにすみつくため害虫とみなされます。そんな害虫扱いされるゴキブリの学名の意味を紹介しましょう。

　まず、「ゴキブリ属（*Periplaneta*）」の意味は「周囲の放浪者」。夜に家の中をうろつきまわる様子を表現したようです。そして、クロゴキブリ（*P. fuliginosa*）の種小名は「煤けた色の」、ワモンゴキブリ（*P. americana*）の種小名は「アメリカの」、コワモンゴキブリ（*P. australasiae*）の種小名は「オーストラリアの」を意味します。また、チャバネゴキブリ属（*Blattella*）のチャバネゴキブリ（*B. germanica*）の学名は「ドイツの小さなゴキブリ」という意味です。

　ちなみに、ワモンゴキブリ、コワモンゴキブリ、チャバネゴキブリの種小名は、原産地ではなく学名が記載された標本の産地に由来するもの。記載時にはすでに、外来種として世界各地に分布を広げていたことがわかります。

ドアの隙間から侵入するクロゴキブリ

ワモンゴキブリ

学名はどうやって読む？

● 基本はローマ字読み

ラテン語は古代ローマの言語なので、日本でいう「ローマ字」のように読むことができます。たとえば、こんな感じです。

Kogia sima →コギア・シマ（オガワコマッコウ）
Murina aenea →ムリナ・アエネア（マラヤテングコウモリ）
Papio kindae →パピオ・キンダエ（キンダヒヒ）

ただしラテン語では、ローマ字では使わない「l」「q」「v」「x」も使います。基本的に子音の発音は英語に準じますが、「j」は「y」、「q」は「kw」、「v」は「w」、「x」は「ks」と読むように、違いも少なくありません。

もともと古代のラテン語では、「k」「w」「y」「z」の文字が使われていませんでした。そのため、このような発音の置き換えが起こっているわけです。また、「w」は古代ローマ時代に存在しなかった文字なので、外来語を表すときにしか使われず、発音はその外来語の読みにしたがいます。

ローマ字で使わない文字と読み方が違う文字

c→k　カ、キ、ク、ケ、コ
j→y　ヤ、イ、ユ、イェ、ヨ
l→l　ラ、リ、ル、レ、ロ
　※カタカナ表記の場合は、「r」と同じになる。
q→kw　クァ、クィ、クゥ、クェ、クォ
t→　タ、ティ、トゥ、テ、ト

memo

ラテン語の「pseudo」には「偽物の」という意味がある。たとえば、コンゴノコギリクワガタの学名は「*Prosopocoilus congoanus*（コンゴのノコギリクワガ

v→w　ワ、ウィ、ウ、ウェ、ウォ

w→w（またはv）　ワ、ウィ、ウ、ウェ、ウォ（またはヴァ、ヴィ、ヴ、ヴェ、ヴォ）

x→ks　クサ、クシ、クス、クセ、クソ

y→i　イ（イュ）　※ラテン語では母音扱い。

ch→kh　カハ、キヒ、クフ、ケヘ、コホ
　※カタカナ表記の場合は、カ行に変換される。

ph→f　ファ、フィ、フ、フェ、フォ

rh→　ルァ、ルィ、ル、ルェ、ルォ
　※カタカナ表記の場合は、ラ行に変換される。

th→th　スァ、スィ、ス、スェ、スォ
　※カタカナ表記の場合は、サ行に変換される。

mm→nm　ンマ、ンミ、ンム、ンメ、ンモ

　以下は、ローマ字にはない子音をふくむ学名の例です。

Suricata suricatta→スリカタ・スリカッタ（ミーアキャット）
Lama guanicoe→ラマ・グアニコエ（グアナコ）
Cavia aperea→カウィア・アペレア（パンパステンジクネズミ）

　さらに、ラテン語は日本語とは違い、必ず子音と母音がセットになるわけではありません。子音が連続したり、子音で終わったりすることは普通に起こります。

Tachyglossus aculeatus→タキグロッスス・アクレアトゥス（ハリモグラ）
Orycteropus afer→オリクテロプス・アフェル（ツチブタ）
Elephas maximus→エレファス・マキシムス（アジアゾウ）
Dugong dugon→ドゥゴング・ドゥゴン（ジュゴン）

タ）」だが、それに似たニセコンゴノコギリクワガタの学名は「*Prosopocoilus pspeudocongoanus*（ニセのコンゴのノコギリクワガタ）」。

Galago senegalensis →ガラゴ・セネガレンシス（ショウガラゴ）

Erythrocebus patas →エリスロケブス・パタス（パタスモンキー）

Solenodon paradoxus →ソレノドン・パラドクスス（ハイチソレノドン）

Equus burchelli →エクウス・ブルチェッリ（サバンナシマウマ）

Marmota bobak →マルモタ・ボバク（ボバクマーモット）

Mesocricetus auratus →メソクリケトゥス・アウラトゥス（ゴールデンハムスター）

Ammotragus lervia →アンモトゥラグス・レルウィア（バーバリーシープ）

Procyon lotor →プロキオン・ロトル（アライグマ）

Felis margarita →フェリス・マルガリタ（スナネコ）

Hydrurga leptonyx →ヒドゥルルガ・レプトニクス（ヒョウアザラシ）

Mesoplodon stejnegeri →メソプロドン・ステイネゲリ（オウギハクジラ）

以上のルールを知れば、ほとんどの学名を正しく読めるはずです。ただし、ラテン語にはほかにも細かいルールがあります[※1]。さらに、ラテン語が使われていた時代や地域によっても発音が変わるので、突き詰めたい方は専門書で学んでみてください。

●じつは統一されていない学名の読み方

学名の基本的な読み方は説明したとおりなのですが、図鑑や博物館などで上記のような読み方になっていないこともあります。その最大の原因が、英語の影響です。

たとえば、英語では単語の頭に「p＋子音」がきた場合、「p」を発音しません。そのため、「*Pseudomonas*」は本来なら「プセウドモナス」と読むべきですが、英語の影響が強い医療業界では「シュードモナス」と読むのが一般的です。*Pseudomonas* 属は緑膿菌（*Pseudomonas aeruginosa*）などをふくむ病原性の細菌なので、医療業界ではしばしば名前が登場します。業界内で名前が通っているものを、外部の人間が「ラテン語に忠実に読め」といっても無駄なので、これはこれで受

memo
ラテン語の「anus」は、名詞を形容詞化する際につける接尾辞。地名や人名につけると、「○○の」という意味になる。ただし、フジツガイ科のシマイボボラ

け入れるしかないでしょう。

その一方、「Pteranodon」を英語風に「テラノドン」と読む人はあまりいません。これは、ラテン語に忠実な「プテラノドン」の読みが、古くから浸透していたためです。それでも、日本語の会話中にあえて「テラノドン」という人もた

図2-1　国立科学博物館のDunkleosteusの展示プレート

まーにいるので、そういう方に出会ったら、「海外の研究者と英語で会話することが多いのかな」と思うようにしてあげてください。

ほかにも、ラテン語読みではない名前が一般的になっているものに、デボン紀の巨大な甲冑魚（板皮綱）「Dunkleosteus」がいます。こちらは、国立科学博物館でも「ダンクルオステウス」と表記されていますが（図2-1）、ラテン語風に読むなら「ドゥンクレオステウス」です。おそらく、ダンクルオステウスは広く知られるようになった時期が比較的新しいので、カタカナ化する際に英語読みの影響を受けたのでしょう。

また、学名を読む場合には、「語源となった言語に基づく発音をするべき」と考える人もいます。たとえば、97ページで紹介した中国語由来の恐竜なら、以下のようになります。

学名	中国語に基づいた読み	ラテン語読み
Guanlong wucaii	グァンロン・ウーカイ	グアンロング・ウカイイ
Mei long	メイ・ロン	メイ・ロング
Yi qi	イー・チー	イィ・クィ

の学名「Distorsio anus」は「ねじれた肛門」を意味し、歪んだような形の貝殻と、殻口の形状から名づけられたようだ。

これは、有名な生きものであれば、原語に基づいた読みを浸透させることは妥当でしょう。でも、初めて見る学名を読む場合に、いちいち語源がラテン語なのか、ギリシャ語なのか、英語なのか、ドイツ語なのか、中国語なのか……と調べなければならないのは、現実的ではないような気がします。

　結論として、学名の読み方には、絶対に正しいというものはないといえそうです。「*Tyrannosaurus*」は「ティラノサウルス」でも「ティランノサウルス」でも「ティラナソーレス」でもいいし、「*Velociraptor*」は「ヴェロキラプトル」でも「ベロキラプトル」でも「ウェロキラプトル」でも「ヴェロシラプター」でもいいでしょう。ただし、いろいろな読み方が存在すると読者が混乱するので、私が手がける本ではほかの図鑑や博物館の表記を参考に、なるべく多く採用されている読みを使うようにしています。

※1　たとえば、ラテン語の名詞や形容詞には、「男性形」「女性形」「中性形」があり、名詞を修飾する場合には性を一致させなければならない。そのため、学名においても、種小名は属名に性を合わせる必要がある。また、属名には名詞しか使えないが、種小名には名詞のほか形容詞や副詞なども使える。

学名のルール

分類群ごとにルールが違う

●国際的な命名規約

　学名を世界中で通用させるには、統一されたルールが必要です。そのため、大きな分類群ごとに以下のような規約があります。

　　国際動物命名規約
　　　→対象は動物（脊索動物、節足動物、軟体動物など）
　　国際藻類・菌類・植物命名規約
　　　→対象は植物、菌類（キノコ、カビなど）
　　国際原核生物命名規約
　　　→対象は細菌、古細菌
※対象となる分類については、275ページの「まったく違う！　菌、細菌、古細菌」を参照

　それぞれのルールはおおむね共通しているものの、分類群によって異なる組織が規約を制定しています。

　まず「国際動物命名規約」の場合、制定しているのは「動物命名法国際審議会（ICZN）」です。ICZNは1905年に「萬国動物命名規約」を制定し、1961年にはそれを大きく改訂した「国際動物命名規約」を制定しています（最新は1999年の改定版）。

　次に「国際藻類・菌類・植物命名規約」は、1905年に「国際植物科学会議（IBC）」によって制定されています。ただし、当時はアメ

memo

クリオネというのは、貝殻を失った巻き貝である*Clione*属の総称。狭義ではその中の1種、ハダカカメガイ（*C. elegantissima*）を指す。

リカが「アメリカ植物命名規約」という独自ルールを採用していました。そのため、「国際藻類・菌類・植物命名規約」がアメリカをふくむ国際的な統一ルールとなったのは、1930年のケンブリッジ会議以降です（統一規約の発行は1935年）。現在は6年ごとに会議を行い、そのたびに改正規約を発行しています。

最後に「国際原核生物命名規約」は、「国際原核生物分類命名委員会（ICSP）」が制定しているルールです（最新は2008年の改定版）。ICSPは1930年に「国際微生物学命名委員会」として発足しましたが、何度か名称が変更され現在に至ります。かつてはこの団体の規約でウイルスも取り扱っていましたが、1966年に「国際ウイルス命名委員会」が発足したことにより、ウイルスはそちらの管轄へ移行しました[※1]。

これらの3つはそれぞれ独立した組織なので、分類群によって学名の運用ルールは少しずつ違います。また、これらの組織が定めるのは学名の適切な用法のみで、分類についての判断を下すようなことはありません。この本では基本的に、「国際動物命名規約」に則してお話しし、そのほかの分類群については、補足的に説明していきたいと思います。

●命名ではなく記載というわけ

「国際動物命名規約」というルールがあるように、新しく見つかった種に名前をつけることは命名といいます。でも、学名の場合、「新種を命名」という言い方はしません（新属、新科なども同様）。では、どう表現するかというと、「新種を記載」といいます。新しく学名をつけるには、論文に記載して発表する必要があるためです。学名（新種）の記載には、おおむね以下のような手順を踏みます。

　新種と思われる生きものを発見
　　↓

memo ────────────────────────────────

ウッカリカサゴは日本近海にも生息するが、「日本の研究者がうっかりしており、カサゴと別種であると気づかなかった」ことからの命名。1978年にソビ

文献や標本を取り寄せ、近似種と比較し、新種かどうか検証

　　↓

新種に種名をつけ、「基準となる標本」※2を指定した「記載論文」を執筆

　　↓

「学術雑誌」に記載論文を投稿し、「査読」を経て掲載

　つまり、新種を発見し、命名規約の形式に則り命名したとしても、それはまだ学名ではありません。新しい種である証拠とともに論文に記載し、それが公開されて初めて学名となるのです。

　論文が掲載されるメディアは、「学術雑誌（ジャーナル）」が望ましいとされます。それは、「査読」があるからです。査読というのは、投稿された論文を該当分野の専門家たちが読み、それが掲載されるにふさわしいものか判断する作業のこと。この掲載基準は、有名な学術雑誌ほどハードルが高く、それだけ信頼性も高いといえます。

　また、こうした論文は、英語で書かれるのが一般的です。せっかく論文を発表するのであれば、日本人以外にも読んでもらいたいですからね。ただし2012年までは、植物やキノコの記載論文を執筆する場合、記載文※3をラテン語で書くことが求められていました※4。

●学術雑誌とは

　みなさんは、学術雑誌を書店で見かけたことはあるでしょうか。たとえば、イギリスの学術雑誌『ネイチャー』（シュプリンガーネイチャー社）は、日本では書店販売していません※5。個人で購読する場合、価格は年間5万6,100円（税・送料込み）もするので、もともと書店で購入している人は少なかったのだと思います。

　学術雑誌は無数にあるので、その購読料は大学や研究機関にとっても大きな負担です。実際問題として国立大学の図書館ですら、財政難

エト連邦の研究者によって記載され、その後に和名がつけられた。

から購読を渋るような状況が続いています。それでも、『ネイチャー』のようにインパクトファクター※6が高い学術雑誌は、購読せざるを得ません。

一般的な雑誌の場合は、原稿の執筆者が出版社から原稿料を受け取れます。ところが、学術雑誌の場合、論文の執筆者が出版社に掲載料（投稿費、カラー図版使用料、投稿手数料など）を支払うケースも少なくありません。さらに、投稿しても査読で「リジェクト（掲載拒否）」されることは普通にあり、その場合の投稿費※7は払い損です。

この掲載料は、オンラインで無料閲覧できる「オープンアクセス（OA）版」では非常に高額となり※8、『ネイチャー』OA版の論文掲載料は9,500ユーロ（2023年11月のレートで約150万円）もします。また、無数にあるOA版の学術雑誌の中には、十分な査読をせず、どんな論文でも掲載してくれるところも少なくありません。こうした学術雑誌は、論文執筆者から掲載料を得ることを目的としており、「ハゲタカジャーナル（predatory journal）」と呼ばれます。

※1　ウイルスについては、176ページの「生きものっぽい名前のウイルス」を参照。

※2　基準となる標本は「タイプ標本」と呼ばれる。タイプ標本については、126ページの「タイプ標本とは」を参照。

※3　記載文（記載 Description）については、137ページの「記載論文の書き方」を参照。

※4　国際藻類・菌類・植物命名規約（当時は国際植物命名規約）は1905年から一貫して、「記載文はラテン語で執筆する」ことを求めてきた。しかし、2011年のメルボルン会議において、「記載文は英語でも可」という決議がなされ、改正規約が2012年に発行されている。

※5　2017年3月までは日本の書店でも購入できた。

※6　その学術雑誌の影響力の大きさを示す数値。具体的には、掲載論文が1年に引用された回数の平均値で表す。2022年の『ネイチャー』のインパクトファクター（IF）は64.8。つまり、『ネイチャー』に掲載された論文は、ほかの論文に年平均64.8回も引用されたということ。

━ memo ━
ハゲタカという名の鳥はいない。しかし、ハゲワシ亜科のクロハゲワシやヒゲワシ亜科のエジプトハゲワシなど、ハゲワシという種名や分類名の鳥はいる。

以下にIFの個人的なイメージを示す。

IF2 →ほとんど影響なし

IF5 →その分野の研究者には読まれているレベル

IF10 →ほかの分野の研究者にも読まれているレベル

IF30 →とんでもない業績レベル

IF50 →世界を揺るがすレベル

※7 投稿費は無料の雑誌も多い。ただし、投稿者の多い雑誌では、査読する論文を厳選する意味もあり、1〜2万円の投稿費を徴収する。

※8 完全なOA版だと読者が無料で読めてしまうため、出版社が利益を確保するために投稿手数料は高くなりがち。

miniコラム ハゲタカジャーナル

　最近はハゲタカジャーナルでもIFを高く保つ工夫が凝らされており、見た目上は「ちゃんとした」雑誌になっていることが少なくありません。すると、このような雑誌の影響力も無視できなくなり、良い研究よりも、早く結果が出る研究がますます増えていくでしょう。個人的には非常に憂慮すべき問題だと思っています。

岡西政典

学名に付随するもの

●命名者名と記載年

　図鑑などで、学名の後ろに「人名」と「4桁の数字」がつけ加えられているのを見たことがありませんか。たとえばこんなものです。

Homo sapiens Linnaeus, 1758　ヒト

　これは、学名の「命名者名」と「記載年」です。上記のヒト（*Homo sapiens*）であれば、この学名は1758年に、スウェーデンのカール・フォン・リンネによって記載論文が発表されたということがわかります。この記述だけでは、「Linnaeusという人が 1758年に記載した」ことしかわからないように思えますが、姓と記載年、その生物の分類群から、おおむね研究者を特定することが可能です[※1]。ちなみに、たいていは「論文の執筆者＝命名者」ですが、まれに命名者以外が論文を執筆することもあります。その場合も、学名に併記されるのは執筆者名ではなく命名者名です。

　また、動物の記載論文において、命名者名と記載年の記述は必須ではありません。しかし、記述することが推奨されており、重要視されていることがうかがえます。細菌や古細菌でも、命名者名と記載年の記述は推奨されていますが、命名者名の後ろに「, 」はつけないという、微妙なルールの違いがあるそうです。

Bacillus anthracis Cohn 1872　炭疽菌

　一方、植物においては、多くの学名を記載した「著名な命名者」は省略形で示されることが多く、記載年の表記は推奨されていません。

memo

カラス科のカササギの学名は「*Pica pica*（ピカ・ピカ）」というが、これはラテン語でカササギを意味する「pica（ピカ）」に由来する。また、ナキウサギ

そのため、以下のようなシンプルな表示になります。「L.」とはもちろん、「Linnaeus」の略です。そして、あえて記載年を記述する場合には、（ ）でくくるというルールがあります。

Helianthus annuus L.　ヒマワリ　※記載年なし
Helianthus annuus L.（1753）　ヒマワリ　※記載年あり

　また、記載論文の執筆者が複数いる場合は、名前を以下のように併記します。

Nyctalus furvus Imaizumi et Yoshiyuki, 1968　コヤマコウモリ

　これは、今泉吉典博士と吉行瑞子博士の両名によって、1968年に記載されたということです。ラテン語の「et」は英語の「and」を意味するので、代わりに「&」を使うこともあります。
　また、論文の共同執筆者が3人以上の場合は、筆頭著者の名前のあとに「et al.」をつけて省略できますが、省略しなくても構いません。「et al.」というのは、ラテン語の「et alia」[※2]の省略形で、「その他」を意味します。これは、論文の執筆者と命名者が異なる場合も同様です。
　以下は、97ページでも紹介した恐竜の学名ですが、命名者名と記載年を併記するとこうなります。

Guanlong wucaii Xu et al., 2006　グアンロン
Mei long Xu & Norell, 2004　メイ
Yi qi Xu, Zheng, Sullivan, Wang, Xing, Wang, Zhang, O'Connor, Zhang & Pan, 2015　イー

　これらの恐竜は、すべて徐星（Xu Xing）博士を筆頭著者として記

の英名は「pika（パイカ）」というが、こちらはツングース語でナキウサギを表す「piika（ピーカ）」に由来する。

載されたものです。ここではあえて、グアンロンは筆頭著者以外を省略、メイは「et」の代わりに「&」を使用、イーは著者をすべて併記と、表記のバリエーションを示しています。

●ヒグマとアナグマは同属だった

続いては、ちょっと変わった形を見ていきましょう。以下は、ヒグマとヨーロッパアナグマの学名です。

Ursus arctos Linnaeus, 1758　ヒグマ
Meles meles（Linnaeus, 1758）　ヨーロッパアナグマ

どちらも、1758年にリンネによって記載されたものですが、ヨーロッパアナグマのほうは命名者名と記載年が（　）でくくられています。これはどういう意味かというと、属名が変わったことを表しているんです。

ヨーロッパアナグマは1758年に、*Ursus meles* という学名で記載されました。つまり、ヒグマと同属だったということ。でも、1762 年にブリソン※3によって、*Meles* 属という新属に分類が移動されています。ヒグマはクマ科、アナグマはイタチ科と分類が離れているので、妥当な変更ですね。ただし、属が変更された場合でも、原記載をした「命名者名」と「記載年」は、（　）つきで残ります※4。

ちなみに、ヒト、ヒグマ、ヨーロッパアナグマが記載された1758年というのは、『自然の体系』の第10版※5が発行された年です。リンネの専門は植物でしたが、『自然の体系』の第10版において初めて、動物にも二名法を本格的に導入しました。そのため、この1758年は、動物命名法の出発点とされています。古くからヨーロッパで知られていた哺乳類や昆虫の学名を調べてみれば、その多くがリンネによって1758年に記載されていることがわかるでしょう。

memo

日本に生息するアナグマは、かつてはヨーロッパのアナグマと同種・別亜種とされ、学名は「*Meles meles anakuma*」だった。しかし、近年は独立種とみ

●記載まで時間がかかったフタバスズキリュウ

　ときどき勘違いしている人もいますが、記載年というのは新種が発見された年ではありません。ヒグマやヨーロッパアナグマは大昔から知られていた動物ですから、1758年に発見されたわけではないですよね。じつは、発見されてすぐに学名が記載されることは、そんなに多くありません。新発見と思われる生きものが、既知の種と違うことを証明するのには時間がかかるからです。

　新種発見として有名なものに、フタバスズキリュウがいます（**口絵2-6**）。これは、1968年に高校2年生の鈴木直さんによって発見され、日本初の首長竜の全身骨格ということで大ニュースになりました。昭和時代後期の少年にはものすごく知名度の高かった古生物ですが、記載年はなんと2006年。発見から38年もかかってようやく記載されています。

Futabasaurus suzukii Sato, Hasegawa & Manabe, 2006
　　フタバスズキリュウ

　全身骨格が発見され、注目度も高かったフタバスズキリュウなのに、記載まで38年もかかったのは、いろいろな意味で新種であることを証明するのが難しかったということです。

　ちなみに、学名が記載されてからは、属名をカタカナ化した「フタバサウルス」と呼ばれることも増えてきました。属名は「（発掘地である福島県の）双葉町のトカゲ」という意味で、種小名は発見者の鈴木直さんに「献名」[6]されています。そして、記載論文を執筆したのは、佐藤たまき博士、長谷川善和博士、真鍋真博士の3名ですが、ここでは「Sato et al.」と省略せず併記バージョンを示しました。

なされるようになり、標準和名はアナグマのままだが（ヨーロッパのアナグマをヨーロッパアナグマに変更）、学名は「*Meles anakuma*」になっている。

※1　よくある姓の場合は、次のようにファーストネームやミドルネームのイニシャルをつけることもある。

　　　Eudyptes chrysocome (J.R.Forster, 1781)　ミナミイワトビペンギン
　　　Phreatodytes relictus S.Uéno, 1957　ムカシゲンゴロウ

※2　これは中性複数形。ラテン語の男性複数形は「et alii」、女性複数形は「et aliae」だが、どちらにしても省略形は「et al.」。

※3　マチュラン・ジャック・ブリソンはフランスの動物学者。1760年に出版された『鳥類学』の著者として知られる。

※4　「国際藻類・菌類・植物命名規約」では、変更者の名前も（　）の後ろに併記することになっている。以下はスギの学名。原記載者は「L.f.(カール・フォン・リンネの同名の息子)」だが、デビッド・ドンによって属名が変更されている。

　　　Cryptomeria japonica (L.f.) D.Don

※5　原題は『SYSTEMA NATURAE』。初版は1735年発行だが、動物の学名が記載されるようになったのは1758年発行の第10版から。植物の学名は、1753年に出版された『植物の種』においてすでに記載されており、例に挙げたヒマワリの記載年も1753年。

※6　標本の発見者などに敬意を表して、その人物の名を種名や属名に使用すること。学名だけでなく、和名でも行われる。160ページの「学名に隠された人名」を参照。

(mini コラム)　**大怪獣ガメラ**

　1993年に記載されたカメの種小名は、大怪獣ガメラに献名されています。その学名は以下のようなものです。

Sinemys gamera Brinkman & Peng, 1993　シネミス・ガメラ

　このカメは、中国の内モンゴル自治区にある白亜紀前期の地層から発見されたもので、川にすんでいたと考えられています。でも、なぜガメラに献名されたのでしょう。甲羅の長さは13〜20cmで、あまり大きくはありません。しかしその甲羅の形が独特で、飛行機の翼のような突起が左右に伸びていました。この、いかにも飛びそうな姿から、空を飛ぶカメとして有名なガメラを連想したようです。

早いもの勝ちで変更禁止

●無効名になったブロントサウルス

　記載論文が学術雑誌に掲載されると、それが発行された日から公表された学名となります。そして、ひとたび公表された学名は、基本的に変更することができません[※1]。もし、変更が許されてしまうと、古い論文と新しい論文では学名が変わることになり、「1つの種を世界共通の名前で表す」というコンセプトが揺らいでしまうからです。そのため、学名は最も古いもの（記載論文の公開が早いもの）だけが有効となり、同じ種にいくつもの学名をつけることは許されません。

　たとえば、昭和時代に名前がよく知られていたブロントサウルスと、それによく似たアパトサウルスという恐竜がいます[※2]。

Brontosaurus excelsus Marsh, 1879　ブロントサウルス

Apatosaurus ajax Marsh, 1877　アパトサウルス

　ブロントサウルスは1879年に記載されましたが、のちにブロントサウルスとアパトサウルスは属を分けるほどの違いはないと考えられるようになりました。アパトサウルスが記載されたのは1877年なので、アパトサウルスのほうに学名（属名）の「先取権」があります。そのため、リッグス[※3]は1903年に発表した論文で、ブロントサウルス属はアパトサウルス属に統合すべきだと結論づけたのです[※4]。

　でも、この情報はなかなか広まりませんでした。それには、さまざまな理由があります。まず、ブロントサウルス（*B. excelsus*）[※5]の化石は、19世紀に発見された恐竜の中では最大級のもので、名前がよく知られていました。しかし、アパトサウルス（*A. ajax*）の化石は若い個体のものだったため、あまり大きくはなく、知名度が低かっ

memo

ティラノサウルス・レックス（*Tyrannosaurus rex*）は、ギリシャ語で「暴君トカゲの王」という意味。

たこと。そして、化石を保有するアメリカ自然史博物館が、（リッグスの論文発表後の）1905年に完成した全身骨格標本を「ブロントサウルス」の名で展示していたこと。さらに、ほどなくして二度の世界大戦が起きたため、恐竜の研究が世界的に停滞したことなどです。そのため、私が子どものころはまだ、博物館主催の恐竜展ですら、ブロントサウルスという名称が使われていました。

　ところが、1970年代半ばになると、オストロム[※6]によって「恐竜温血説」[※7]が発表されます。さらにこの時期から、「隕石衝突説の発表（1980年）」「映画『ジュラシック・パーク』の公開（1993年）」「羽毛恐竜の発見（1995年）」といった大きなイベントが続き、恐竜界隈が盛り上がっていきました。そのような状況下で、日本でも恐竜の情報が続々と更新されていき、ブロントサウルスもアパトサウルスと呼ばれるようになったのです。

　ちなみに、2015年にはヨーロッパの研究者によって、竜脚類（ディプロドクス科）についての論文が発表されています[※8]。その中で、ブロントサウルス（*B. excelsus*）とアパトサウルス（*A. ajax*）には種以上の違いがあり、どちらも有効な属であると結論づけられました。ただし、この論文には反論もあり、現在はブロントサウルスが有効名なのか無効名なのか、はっきりしない状況です。

●先取権が覆されたマノスポンディルス

　ブロントサウルスとアパトサウルスの件とは逆に、先につけられた名前が無効になった例もあります。それが、ティラノサウルス（**口絵2-2、図2-2**）とマノスポンディルスです。これら2種の学名と記載年は以下のようになります。

Manospondylus gigas Cope, 1892　マノスポンディルス
Tyrannosaurus rex Osborn, 1905　ティラノサウルス

----

memo

ブロントサウルス（*Brontosaurus*）はギリシャ語で「雷のトカゲ」、アパトサウルス（*Apatosaurus*）はギリシャ語で「惑わすトカゲ」を意味する。日本で

図2-2　ティラノサウルス

　マノスポンディルスが発見および記載されたのは1892年。コープ[※9]
が発掘した、たった1つの脊椎骨に基づいて記載されました。一方、
ティラノサウルスとして初めて記載されたのは、1902年にブラウン[※10]
が発掘し、1905年にオズボーン[※11]によって記載された、頭骨、脊椎骨、
恥骨、大腿骨などをふくむ化石です。いちおうオズボーンは、マノス
ポンディルスとティラノサウルスは同属の可能性があることを、1917
年に指摘しています。しかし、マノスポンディルスの化石は断片的で
あったため、結論は出ませんでした。

　ところが2000年、マノスポンディルスが発掘されたサウスダコタ
州のヘルクリーク層から、ティラノサウルスの化石が発見されます。
それはなんと、1892年にコープが発掘したマノスポンディルスと同
一個体の掘り残しだったのです。この発見により、マノスポンディル
スとティラノサウルスが同じものであることが決定的になりました。

はブロントサウルスだけでなく、四足歩行する巨大な竜脚類をまとめて「雷竜
（かみなりりゅう、らいりゅう）」と呼ぶことがある。

すると、ここで、ティラノサウルス消滅の危機が訪れます。ティラノサウルスの記載年のほうが新しいので、マノスポンディルスに学名の「先取権」があるためです。しかし、ティラノサウルスは消滅しませんでした。なぜなら、2000年の1月に改定された「国際動物命名規約」の第4版で、「動物命名法国際審議会（ICZN）が認めた場合には、先取権を覆すことができる」という項目が、たまたま追加されていたからです※12。ICZNは早速この強権を発動してティラノサウルスを「保全名」※13とし、マノスポンディルスを無効とする裁定を下しました。ティラノサウルスはあまりにも有名であるため、学名を変えると混乱が大きすぎると考えられたわけですね。

※1　ただし、分類が変わって属名が変更されたり、その結果として種小名の語尾が変化したりすることはある。

※2　どちらも記載したのは、アメリカの古生物学者であるオスニエル・チャールズ・マーシュ。アロサウルスやステゴサウルス、トリケラトプスなどの記載者としても知られる。
　　　Allosaurus fragilis Marsh, 1877　アロサウルス
　　　Stegosaurus stenops Marsh, 1887　ステゴサウルス
　　　Triceratops horridus Marsh, 1889　トリケラトプス

※3　エルマー・サミュエル・リッグスはアメリカの古生物学者。ブラキオサウルスやティラコスミルスの記載者としても知られる。
　　　Brachiosaurus altithorax Riggs, 1903　ブラキオサウルス
　　　Thylacosmilus atrox Riggs, 1933　ティラコスミルス

※4　これにしたがえば、*Brontosaurus excelsus* の学名は *Apatosaurus excelsus* になる。

※5　一連の文章の中で同じ学名が何度も登場する場合、2回目以降は属名を省略して原則「頭文字＋ピリオド」で表す。ただし、文頭に来る場合は省略できない。また、途中まで同じつづりの学名が出てくる場合には、途中から省略することも可能。たとえば、*Asteroschema* と *Asteroporpa* が登場する文章なら、*Asteros.* と *Asterop.* というように途中から省略することが認められている。

※6　ジョン・ハロルド・オストロムはアメリカの古生物学者。デイノニクス

memo

マノスポンディルス・ギガス（*Manospondylus gigas*）は、ギリシャ語で「巨大な、穴だらけの椎骨」という意味。

の記載者であり、恐竜温血説の提唱者として知られる。

  Deinonychus antirrhopus Ostrom, 1969　デイノニクス

※7　小型肉食恐竜のデイノニクスには、俊敏なハンターだと思われる特徴が
　　散見された。そのため、少なくとも一部の恐竜は哺乳類のような恒温動
　　物であり、気温に左右されず活動的であったとする説。

※8　ドイツのエマニュエル・チョップ、ポルトガルのオクタビオ・マテウス、
　　イギリスのロジャー・ベンソンによる共同執筆論文。

※9　エドワード・ドリンカー・コープはアメリカの古生物学者。上記のマー
　　シュとのあいだで、「化石戦争（Bone Wars）」と呼ばれるほど熾烈な化
　　石発掘競争を続けた。カマラサウルス、ディメトロドン、ディプロカウ
　　ルスなどの記載者としても知られる。

  Camarasaurus supremus Cope, 1877　カマラサウルス

  Dimetrodon limbatus Cope, 1877　ディメトロドン

  Diplocaulus salamandroides Cope, 1877　ディプロカウルス

※10　バーナム・ブラウンはアメリカ自然史博物館の学芸員。アンキロサウル
　　スの記載者としても知られる。

  Ankylosaurus magniventris Brown, 1908　アンキロサウルス

※11　ヘンリー・フェアフィールド・オズボーンはアメリカの古生物学者。
　　ヴェロキラプトルの記載者としても知られる。

  Velociraptor mongoliensis Osborn, 1924　ヴェロキラプトル

※12　「先取権のある学名が1899年以降に使われておらず、先取権のない学名
　　が直近50年のうち10年以上にわたり、10人以上の著者による25以上
　　の論文で使われていた場合、先取権のある学名のほうを使用不可とする」
　　という規定もある。

※13　先取権を覆して有効とされた学名。「国際藻類・菌類・植物命名規約」
　　および「国際原核生物命名規約」では「保存名」という。

シノニムとホモニム

● シノニムは同物異名

　学名は1種につき1つが原則です。でも、先ほどのティラノサウルスとマノスポンディルスのように、同じ種の生きものに2つ以上の学名がつけられることもあります。それが、「シノニム（同物異名）」です。シノニムの中でも、記載日がより早いものを「シニア・シノニム」、遅いものを「ジュニア・シノニム」といい、先取権があるのは最初の1つのみです。

　では、どうしてシノニムが生まれるのでしょうか。その理由には、以下のようなものがあります。

・あとから記載した種が、すでに記載されていた種と同じだとわかった場合。
・すでに記載されている種だということを知らずに、新たな学名を記載した場合。
・既知の種とは異なる種だという考えに基づき記載したが、結果的に受け入れられなかった場合。
・同じ時期に同じ種を、複数の研究者が別々に記載した場合。

　どのような経緯にしろ、1つの種に複数の学名がある場合、それらはすべてシノニムであり、有効なのは記載日が最も古いものだけです。これを、「先取権の原則」といいます。

● ホモニムは異物同名

　シノニムに似ているようでまったく違うのが、「ホモニム（異物同名）」。これは、2つ以上の異なる種につけられた、同じ学名のことです。

memo
カモノハシの英名は「platypus」といい、これはギリシャ語で「平たい足」を意味する。1799年の記載時には学名も *Platypus anatinus* だったが、1793年に

ホモニムが生じるのは、新たに記載された学名が、すでにほかの生きものに使われていた場合。昔はコンピューターがなかったので、既存の学名を検索するのが大変でした。そのため、わりと重複することがあったようです。たとえば、*Echidna*という属名をつけられた動物には、以下のようなものがあります。

*Echidna*属 J. R. Forster, 1788

　　アラシウツボ属 → ヘビのように長いウツボ

*Echidna*属 Cuvier, 1797

　　ハリモグラ属 → 哺乳類と爬虫類の中間的な特徴（口絵2-7）

*Echidna*属 Merrem, 1820

　　アフリカアダー属 → 毒ヘビ

　語源となったエキドナとは、ギリシャ神話に登場する、上半身がヒトの女性、下半身がヘビという怪物でした。そのため、そこから連想して、上記のような動物の属名に採用されたようです。

　これらは、属名のみのホモニムですが、同じ属名がいくつも使われていると不都合があります。単に*Echidna*属といわれても、それがウツボなのかハリモグラなのかヘビなのかわかりません。そのため、属名のみのホモニムであっても、変更しなければならないのです。ちなみに、ハリモグラ属は*Tachyglossus*に、アフリカアダー属は*Bitis*に変更されていますが、ハリモグラの英名にはいまも「echidna」が使われています。

　ホモニムが生じる理由には、もう1パターンあります。それが、属の分類が移動したときです。属名のホモニムは無効ですが、種小名の重複は問題ありません。たとえば、ネズミ目だけでも種小名が「*rex*」のものは5種いました。*Tyrannosaurus rex*でおなじみの「*rex*」ですが、これはラテン語で「王」を意味する言葉です。

ナガキクイムシ科の甲虫に*Platypus*属が使われていたため、カモノハシの学名は*Ornithorhynchus anatinus*に変更された。

Oecomys rex　*Oecomys* 属 Thomas, 1906
　　テイオウコメネズミ（キヌゲネズミ科コトンラット亜科）
Craseomys rex　*Craseomys* 属 Miller, 1900
　　ムクゲネズミ（キヌゲネズミ科ミズハタネズミ亜科）
Meriones rex　*Meriones* 属 Illiger, 1811
　　キングスナネズミ（ネズミ科アレチネズミ亜科）
Mylomys rex　*Mylomys* 属 Thomas, 1906
　　エチオピアミユビクサネズミ（ネズミ科ネズミ亜科）
Uromys rex　*Uromys* 属 Peters, 1867
　　キングハダカオネズミ（ネズミ科ネズミ亜科）

　架空の話ではありますが、もしエチオピアミユビクサネズミとキングハダカオネズミの分類が見直されて、同属になったらどうなるでしょう。*Uromys* 属の記載は1867年、*Mylomys* 属の記載は1906年なので、*Uromys* 属が有効となり、学名は以下のようになります。

Uromys rex　エチオピアミユビクサネズミ
Uromys rex　キングハダカオネズミ

　完全なホモニムになりましたね。滅多にないことですが、このように属の統合によってホモニムになった場合、種小名を変更しなければなりません[※1]。
　さらに、植物やキノコでは、*Astrostemma* と *Asterostemma* のように、似すぎているものも「パラホモニム」として無効となります[※2]。これらはどちらもキョウチクトウ科の植物（和名なし）ですが、記載されたのが遅い *Astrostemma* 属は、1891年に *Absolmsia* 属に変更されました。

----

memo

和名をつけるのに統一されたルールはないため、和名のシノニムはよくある。詳しく知りたい方は、217ページの「まぎらわしい名前」へ。

*Asterostemma*属 Decne, 1838　キョウチクトウ科

*Astrostemma*属 Benth, 1880　キョウチクトウ科

　→ *Absolmsia*属 O. Kuntze, 1891

*Asterostemma*属 Ameghino, 1889　グリプトドン科

　ところが、1889年に記載されたグリプトドン科[3]の*Asterostemma*属は、まったく同じつづりなのに有効です。なぜなら、「国際動物命名規約」と「国際藻類・菌類・植物命名規約」は、それぞれ独立しているから。このように、命名規約の境界を越えたホモニムを「ヘミホモニム」といいます。ただし、どちらの規約でも、ヘミホモニムは推奨されていません。たまたまかぶってしまったなら、仕方ないという感じです[4]。

※1　ほかにも、属が変わった結果、新しい属名と種小名の「ラテン語の性」が一致しなければ、種小名の語尾を属名の性に合わせて変化させる必要がある。

　　また、ごくまれに、属名の性の間違いが見つかり、種小名が変更されることもある。日本にも生息するライチョウの学名は*Lagopus mutus*だったが、*Lagopus*というのは「ノウサギの足」を意味するギリシャ語で女性形。しかし、「us」という語尾がラテン語の男性形のように見えるため、誤って男性形の種小名「*mutus*（無口な）」がつけられた。この誤りは2002年に指摘され、現在は種小名が女性形の*Lagopus muta*に変更されている。

※2　キク科のキク属（*Chrysanthemum*）とハルシャギク属（*Chrysanthellum*）はどちらも有効なので、2文字違えば問題ないらしい。

※3　アルマジロ科に近縁の絶滅した哺乳類のグループ。

※4　ほかにも、ヨザル科の*Aotus*属とマメ科の*Aotus*属のように、動物と植物で同じ属名が使用されていることはたまにある。

タイプ標本とは

● 新種の根拠となる標本

　新種の記載論文を書くには、その種が存在する証拠となる「標本」が必要です。この標本のことを「タイプ標本（模式標本）」と呼び、論文で指定する必要があります。

　タイプ標本は以下のように細分化されますが、単に「タイプ標本」といった場合は、「ホロタイプ」を指すのが一般的です（**口絵2-8、図2-3**）。

ホロタイプ

学名のつけられた「その生物の基準」となる唯一の標本。記載論文で指定される。

シンタイプ

以前は、複数の標本を「その生物の基準」として扱うことが許容されていた。これらの複数の標本をシンタイプという。しかし、複数の標本を指定すると、別種として扱われるべきものが混在している可能性もあるので、現行の規約ではホロタイプの指定が推奨されている。

レクトタイプ

以前は、記載論文でホロタイプが指定されていないこともあった。その場合、のちの研究者が「その生物の基準」として、1点だけ指定するのがレクトタイプ。レクトタイプはシンタイプの中から選ばれることもある。

---

memo

センザンコウの鱗は漢方薬の材料として高値で取り引きされるため、密猟が横行している。そんな密猟された鱗を分析したところ、新種と思われるものが見つかっ

ネオタイプ

ホロタイプやレクトタイプのような「その生物の基準」となる唯一の標本が、消失あるいは完全に破壊された場合、その代わりとして1点だけ指定される標本。

パラタイプ

記載論文で、ホロタイプ以外に指定された標本があれば、それらをパラタイプという。個体差を示すのに有用。

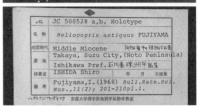

図2-3　ムカシナンバンダイコクコガネの化石標本（ホロタイプ）
写真下の表最上部「No.」に、「Holotype」と書かれている。

アロタイプ

ホロタイプとは性別の異なる標本を、パラタイプの中からアロタイプとして指定することができる。

パラレクトタイプ

シンタイプの中からレクトタイプが選ばれると、選ばれなかった残りはシンタイプでなくなり、パラレクトタイプと呼ばれる。

●担名タイプの重要性

　記載論文で学名が指し示すものは、「その生物の基準」となるタイプ標本です。そのため、学名を担うという意味で、ホロタイプ[※1]を「担名タイプ」といいます。担名タイプは「その生物の基準」ですから、

た。しかし、生体は確認されておらず、どこに分布するのかもわかっていないため、「*Manis mysteria*（謎のセンザンコウ）」という学名が提案されている。

新たに近似種を記載する際にも比較対象となる重要なものです。そのため、「担名タイプ」は公開可能な状態で管理する必要があり、個人所有のものであっても、博物館などに寄贈あるいは寄託するのが慣例となっています。

　また、細菌や古細菌では、ホロタイプを「カルチャー・コレクション（微生物株保存機関）」に寄託することが義務づけられます。しかもその標本は、「微生物培養体」あるいは「植物感染体の乾燥体」として、生きたまま保管されなければなりません。

　古生物の場合は、断片的な化石1点をもとに新種記載することもめずらしくありません※2。ただし、新種の記載には、ほかの種との違いを示す必要があるため、歯1本で記載できることもあれば、できないこともあります。

　なかには、卵の化石や、足跡などの生痕化石に学名がつけられることもありますが、これらは動物の学名とはみなされません。そのため、のちに卵を生んだ動物の正体がわかったとしても、「先取権」は適用されず、動物の学名も卵の学名も有効なままです。にもかかわらず、動物の卵化石や生痕化石の学名は、「国際動物命名規約」に則って記載されます。

　下記は、恐竜（獣脚類）の卵と足跡の学名です。

Himeoolithus murakamii　ヒメウーリサス・ムラカミイ
Eubrontes nobitai　エウブロンテス・ノビタイ

ヒメウーリサスは兵庫県で発見された獣脚類の卵の化石です。「世界で最も小さい非鳥類型恐竜の卵化石」として、『ギネス世界記録』に認定されています。一方、エウブロンテスは中国で発見された獣脚類の足跡の化石。種小名は『のび太の恐竜』や『のび太と竜の騎士』に登場する、架空の人物「野比のび太」に献名されています。

memo
最も大きな恐竜の化石の卵には、*Macroelongatoolithus*という属名がつけられている。そして、その卵を生んだ恐竜は*Beibeilong sinensis*として記載された。

※1　多くの場合、担名タイプはホロタイプだが、シンタイプ、レクトタイプ、ネオタイプの場合もある。

※2　現生種であっても、クジラや樹木のように巨大なものや、損壊した死体など、体の一部をホロタイプに指定して記載することはある。

（miniコラム）いままでなかったサザエの学名

大昔から食用とされてきた日本のサザエですが、2017年になってようやく有効な学名（*Turbo sazae*）が記載されました。それまで学名がなかった理由は、長らく中国のナンカイサザエと同じ種だと考えられており、*T. cornutus*という学名が使われてきたためです。

サザエ

1995年にサザエとナンカイサザエは別種とされ、ナンカイサザエには*T. chinensis*という学名が与えられました。しかしのちに、*T. cornutus*のタイプ標本はナンカイサザエであることがわかります。すると、*T. chinensis*は*T. cornutus*のシノニムとなり、日本のサザエには学名がなくなってしまったのです。

じつは、「*T. japonicus*」という学名も存在するのですが、日本で採集されたサザエと誤って、モーリシャスで採集された別のサザエに命名されています。学名をまとめると以下のとおりです。

Turbo sazae Fukuda, 2017　サザエ
Turbo cornutus Lightfoot, 1786　ナンカイサザエ
Turbo japonicas Reeve, 1848　モーリシャスサザエ

ちなみに属名の「*Turbo*」は、ラテン語の「乱流、渦」という意味で、ターボチャージャー（内燃機関の過給器）の「turbo」と同源です。

種より下位の分類群

● 3語で表す亜種の学名

　種の学名は2語で表されますが、学名が3語になることもあります。それが、亜種の学名です。亜種というのは種よりも下位の分類群ですが、すべての種が亜種に分けられているわけではありません[※1]。1つの種が地理的に隔離された結果として異なる性質を持った場合、その集団を亜種とするのが基本的な考え方です。亜種の学名は、種小名の後ろに「亜種小名（亜種名）」が追加され、3語で表されます（三名法）。以下はニホンジカの亜種です。

Cervus nippon　ニホンジカ（種）
Cervus nippon nippon　キュウシュウジカ（四国、九州亜種）
Cervus nippon yesoensis　エゾシカ（北海道亜種）
Cervus nippon centralis　ホンシュウジカ（本州亜種）（口絵2-9）
Cervus nippon keramae　ケラマジカ（慶良間諸島亜種）
Cervus nippon mageshimae　マゲシカ（馬毛島亜種）
Cervus nippon yakushimae　ヤクシカ（屋久島亜種）（口絵2-9）
Cervus nippon pulchellus　ツシマジカ（対馬亜種）

　ニホンジカは日本の固有種ではなく、中国やベトナムにも生息していますが、ここでは日本国内に生息する亜種のみを挙げました。これらは同じニホンジカという種なので、「*Cervus nippon*」まではすべて同じです。そこに固有の亜種小名が加えられており、ほとんどは日本の地名を由来としています。わかりにくいのが、ホンシュウジカの「*centralis*」ですが、これはラテン語で「中央」を意味する言葉です。そして、ツシマジカの「*pulchellus*」はラテン語で「可愛い」を意味

memo
ニワトリの品種であるウコッケイ（**図2-4**）は、中国名の「烏骨鶏」に由来する。骨が黒いため、「カラス色の骨を持つニワトリ」という意味。また、皮膚も内臓

します。記載した今泉吉典博士は、小型のツシマジカを可愛いと思ったのでしょうか。

みなさんは、キュウシュウジカの亜種小名が「kyushuensis」ではなく、種小名と同じ「nippon」であることに、違和感はありませんでしたか。キュウシュウジカの亜種小名が「nippon」の理由は、キュウシュウジカが「基亜種（原名亜種）」だからです。

図2-4　ウコッケイ

先ほどお話ししたように、種を記載するときには、ホロタイプが指定されます。その、ホロタイプをふくむ亜種が基亜種となり、亜種小名には種小名と同じものが使われるのです。ニホンジカの場合、記載者はテミンク[※2]ですが、かれはシーボルト[※3]がオランダに持ち帰った標本をホロタイプに指定しました。長崎に居住していたシーボルトは、近場（五島列島）の個体を持ち帰ったため、キュウシュウジカが基亜種になったのです。

「国際動物命名規約」と「国際原核生物命名規約」では、種以下の分類は亜種しか認められていません[※4]。また、細菌や古細菌の場合、亜種小名のことを「亜種形容語」と呼び、亜種形容語の前には亜種を意味する「subspecies（またはsubsp.）」をつける必要があります。以下は、レジオネラ症を引き起こす原因菌（細菌）です。

Legionella pneumophila subspecies *pneumophila*
　レジオネラ・ニューモフィラ・亜種ニューモフィラ

動物の場合も、亜種小名の前には「subsp.」をつけるのが正式なの

も黒いが、羽毛は白いものが多い。鳥類では唯一、5本指を持つ鳥としても知られる（鳥類ではダチョウのみが2本指で、ほかはすべて3〜4本指）。

だそうです。とはいえ、これは省略可能なので、以下のような表記を見ることはほとんどないでしょう。

Cervus nippon subsp. *nippon*　キュウシュウジカ

　ついでなので、省略形についても触れておきましょう。種と亜種を意味する言葉は、以下のように略すことができます。

species（種）→ sp.
species（種の複数形）→ spp.
subspecies（亜種）→ ssp.
subspecies（亜種の複数形）→ sspp.

※「species」は単複同形。

　これらは、種小名や亜種小名の代わりに使われることがあります。たとえば、こんな感じです。

Cervus sp.　　　　　　　シカ属の種
Cervus spp.　　　　　　シカ属の複数の種
Cervus nippon ssp.　　ニホンジカの亜種
Cervus nippon sspp.　　ニホンジカの複数の亜種

　図鑑においても、掲載する写真では属名や種名までしか特定できないときに、以下のように表記することがあります。

メクラネズミの一種　*Spalax* sp.
ゴホンツノカブト（亜種名不明）*Eupatorus gracilicornis* ssp.

memo
かつては家畜を独立種として学名がつけられていたが、現在は原種となった野生種の亜種という扱いにされることが多い。たとえばオオカミ（*Canis lupus*）に

132

すでにお気づきかもしれませんが、属名や種小名とは異なり、「sp.」「spp.」「ssp.」「sspp.」は「斜体（イタリック体）」にしません。また、上位の分類名である科名や目名なども同様に、「正体（立体、ローマン体）」で表記します。

Eukaryota	真核生物ドメイン
Animalia	動物界
Chordata	脊索動物門
Mammalia	哺乳綱
Cetartiodactyla	クジラ偶蹄目
Cervidae	シカ科
Cervus	シカ属
C. nippon	ニホンジカ

● 植物の品種と変種

亜種のところでは触れませんでしたが、植物やキノコだって亜種に分けることはあります。ただし、種より下の分類は亜種しか認めない「国際動物命名規約」や「国際原核生物命名規約」とは異なり、「国際藻類・菌類・植物命名規約」では以下のような「種内分類群」を認めています。

亜種（subspecies）	略称：subsp. または ssp.
変種（varietas）	略称：var.
品種（forma）	略称：form. または f.

分類のランクは、亜種＞変種＞品種の順になり、分布域や形態の変異をもとに分類されます。ただし、そこに明確な線引きはなく、亜種という分類群を認めない研究者も少なくありません。そのため、種の

は多数の亜種が知られるが、イヌ（*C. l. familiaris*）やディンゴ（*C. l. f dingo*）はその亜種の1つ。

下の分類は必ず亜種となるわけではなく、種の直下に変種、品種が来ることはよくあります。

Sasa oshidensis ssp. *glabra*
　ケナシカシダザサ（オオシダザサの亜種）
Sasa septentrionalis var. *membranacea*
　ウスバザサ（ミヤマザサの変種）
Sasa megalophylla f. *aureovariegata*
　キンタイオオバザサ（オオバザサの品種）

むしろ、亜種や変種が併用されるのは、かなりのレアケースです。

Platanthera mandarinorum subsp. *mandarinorum* var. *oreades*
　ヤマサギソウ（ハシナガヤマサギソウの基亜種の品種）

ここで注意が必要なのは、「品種（forma）」という言葉の意味です。この場合の「品種」は、園芸植物や農作物などの「栽培品種（cultivar）」とは異なります。

Hydrangea macrophylla f. *normalis*
　ガクアジサイ（アジサイの品種）（口絵2-10）
Hydrangea macrophylla f. *normalis* 'Izunohana'
　ガクアジサイの栽培品種'伊豆の華'
Malus domestica
　セイヨウリンゴ
Malus domestica 'Fuji'
　セイヨウリンゴの栽培品種'ふじ'

---

memo

家畜のヤギの原種はノヤギ（パサン）といい、学名は「*Capra aegagrus*」。この種は、野生のカフカスパサン（*C. a. aegagrus*）、シンドパサン（*C. a. blythi*）、

上記のように、栽培品種名は学名の後ろに「'　'」をつけて表記されることがあります。しかし、栽培品種は「国際藻類・菌類・植物命名規約」に認められた分類群ではないため、栽培品種名を学名とは呼べません。

　また同様に、ウシやウマなど家畜の品種、ニワトリやアヒルなど家禽の品種も、「分類上の品種」ではなく、はるかに狭い概念の「血統」とでもいうべきものです[5]。そもそも、「国際動物命名規約」では亜種より下位の分類群が認められていないので、動物には分類上の品種が存在しません。

　栽培品種や動物の品種は、人為的につくられたもので分類上は認められていませんが、けっして意味のない概念ではありません。農業や畜産業、ペット産業においては非常に重要なもので、栽培品種なら「国際栽培植物命名規約」が、犬種なら「国際畜犬連盟」や「ジャパンケネルクラブ」といった団体[6]が、それぞれの基準で管理しています。

※1　必要に応じて、「目」の下に「亜目」「下目」「小目」「上科」、「科」の下に「亜科」「下科」「族（動物）」「連（植物）」「上属」、「属」の下に「亜属」「節（植物）」「列（植物）」などの階級を用いることがある。

※2　コンラート・ヤコプ・テミンクは、オランダのライデン国立自然史博物館の初代館長。シーボルトが持ち帰った標本のうち、脊椎動物の記載を担当した。以下はテミンクが記載した日本の哺乳類。

Cervus nippon Temminck, 1836	ニホンジカ
Capricornis crispus (Temminck, 1836)	ニホンカモシカ
Pteropus dasymallus Temminck, 1825	クビワオオコウモリ
Rhinolophus cornutus Temminck, 1835	コキクガシラコウモリ
Myotis macrodactylus (Temminck, 1840)	モモジロコウモリ
Pipistrellus abramus (Temminck, 1840)	アブラコウモリ
Mustela itatsi (Temminck, 1844)	ニホンイタチ
Meles anakuma Temminck, 1842	ニホンアナグマ
Crocidura dsinezumi (Temminck, 1842)	ジネズミ
Urotrichus talpoides Temminck, 1841	ヒミズ

クレタパサン（*C. a. cretica*）および、家畜のヤギ（*C. a. hircus*）の4亜種に分けられる。

Mogera wogura (Temminck, 1842)　　　　コウベモグラ

Sciurus lis Temminck, 1844　　　　　　ニホンリス

Pteromys momonga Temminck, 1844　　　ニホンモモンガ

Petaurista leucogenys Temminck, 1827　　ムササビ

Apodemus argenteus (Temminck, 1844)　ヒメネズミ

Apodemus speciosus (Temminck, 1844)　アカネズミ

Lepus brachyurus Temminck, 1844　　　ニホンノウサギ

※3　フィリップ・フランツ・フォン・シーボルトは、ドイツ出身の医者であ
　　　り、オランダの軍人。オランダ船に乗って日本の出島に二度赴任し、計
　　　10年ほどを過ごした。そのあいだに日本の動植物の標本を2万点以上集
　　　め、オランダ帰国後に『日本動物誌（FAUNA JAPONICA）』（1833 ～
　　　1850年）および『日本植物誌（FLORA JAPONICA）』（1835 ～ 1841年）
　　　を刊行している。上記のテミンクは『日本動物誌』に協力した。

※4　「国際原核生物命名規約」には定められていないが、細菌および古細菌
　　　には「○○型（○○var）」や「株（strain）」のような、亜種より下の分
　　　類群も存在する。
　　　Salmonella enterica subspecies *enterica* serovar Typhi
　　　サルモネラ・エンテリカ・亜種エンテリカ・血清型ティフィ（チフス菌）
　　　Lactobacillus casei strain shirota
　　　ラクトバチルス・カゼイ・シロタ株（ヤクルト菌）

※5　ほかにも、爬虫類における色彩変異や、クワガタにおける大顎が極太の
　　　血統などに、ペット業界ではさまざまな名前をつけている。

※6　ただし、団体によって認めている犬種の数は異なる。また、流通上の名
　　　称にはとくに規定がなく、たまたま生まれた小型の個体に「ティーカッ
　　　プ・プードル」のような商品名をつけて売る場合もある。

記載論文の書き方 岡西政典

　ここで、記載論文の書き方についてご紹介いたします。執筆者は変わって、岡西政典です。私は学生時代から一貫して、海産の棘皮動物であるクモヒトデ綱の分類学的研究を行っています。これまでに日本近海を中心とした古今東西のサンプリングを行い、23種のクモヒトデの新種を記載してきました。ここで紹介するのは、その経験をもとにしたものです。

　これまでに何度も登場した「記載」は、分類学における中心的な作業であるといってもいいでしょう。しかしながら、新種（新分類群）の命名のほとんどが記載論文の執筆によって行われることは、あまり知られていないのが現状です。記載はとても楽しい営みです。実際に新種を発見したとき、分類学者はその種をどう記載しようか、胸を躍らせます。記載論文は、いわゆる科学論文の一種ですが、他の科学論文とは異なる特殊な性質も持ち合わせています。ここでは、実際の記載論文[※1]について、一般の科学論文との違いも踏まえて説明したいと思います[※2]。

　まず、一般的な科学論文について説明すると、科学論文の根幹は「タイトル」「要旨（Abstract）」「緒言（Introduction）」[※3]「材料と方法（Materials and Methods）」「結果（Results）」「議論（Discussions）」で構成されます。ここに「謝辞（Acknowledgements）」「引用（References）」を加えれば、論文の体裁は完成です。ただし最近は、「著者の役割（Contribution）」や「論文の元データへのアクセス先（Data accessibility）」の明示を求める雑誌も増えてきました。

　この中で、一般の科学論文と記載論文が大きく異なるのは、「材料と方法」「結果」「議論」の部分ですが、ほかのセクションもふくめ、順番に説明していきましょう（**表**）。

　まず「タイトル」では、その論文の内容を表す簡潔かつわかりやすいタイトルが掲載されます（**図1**）。たかがタイトル、されどタイトル。

構成要素	一般の科学論文	記載論文
タイトル（＋著者）	同じ	
要旨※	同じ	
緒言	同じ	
材料と方法	データ取得方法	野外での情報が加わる
結果	実験結果などが主	記載文が主
議論	仮説の検証など	その生物の分類のポイント
謝辞	同じ	
引用	同じ（ただし記載論文では古い論文が引用されがち）	

※ただし、法学の一部の分野では要旨をつけない。

タイトルはいわゆる論文のキャッチコピーであり、論文のインパクトを決めることもあります。広告やネットニュースでもキャッチコピーやタイトルが非常に重要であるように、研究者は良いタイトルをつけることに気を配るべきでしょう。記載論文では、「○○から得られた○○科の新種」といったタイトルが多く見られます。ただし最近は、「100年ぶりの発見：奄美沖から得られたヒトデモドキ科の新種」[※4]というように、発見の重要性を強調する工夫も見られるようになりました。また、このタイトルの直下には、著者（複数であることもある）の名前も掲載されます。

　続く「要旨」は、その論文全体の短いまとめです。「要旨」と「タイトル」でその論文が読まれるかどうか決まることも多いため、こちらも同じく重要です。

　そして「緒言」では、その研究を行うに至った経緯を書きます。すなわち、その研究がなぜ世の中にとって必要であるか、その理由を書くセクションです。興味深い「タイトル」「要旨」で惹きつけた読者に、その研究の重要性をアピールしなければなりません。一般的には、これまでに行われた研究の歴史や問題点、その中で自身の研究が問題解決に貢献するはずだという仮説を書くわけですが、幅広い業界の知識が必要となり、研究者の腕の見せ所となる部分です。記載論文では、対象とした分類群の、分類の歴史が示されます。例えば、「ヒトデモ

ドキ科は世界で34の有効種が知られています。これらは顆粒状、棘状、板状の骨を体表に持ちますが、最近、数少ない板状の骨片を持つヒトデモドキ科の2個体が奄美沖から見つかりました。これらの個体は、他の板状の骨を持つ2種と形態が異なるため、新種と判断されたので、本論文で記載します。」といった具合です。

続く「材料と方法」のセクションでは、いつ、どこで、どのような方法で研究データを得たのかを、できる限り詳しく記します（**図2**）。これは科学の「再現性」を担保する重要

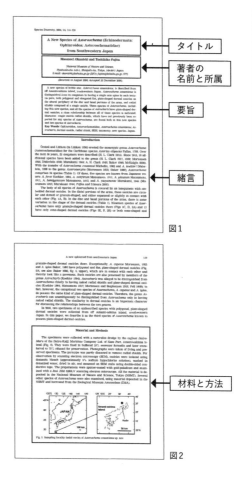

図1

図2

な部分です。再現性とは、その論文を読んだ別の人が、同じ研究結果を出せることを表します。この再現性によって、その論文が嘘でないことを示すとともに、別の研究者がさらに研究を発展させるための土台にもなるのです。

記載論文の「材料と方法」では、いつ、どこで、どのように研究対象の個体を採集したかという「野外での情報」が記されます。そして、それをどのような過程で標本にしたか、さらにその標本がどの研究施

設に、なんという登録番号で収められているか、という内容も示されます。こうした内容は、他の科学論文にはあまり見られない特徴的なものです。これらの情報は、単にその種の生息情報を示すだけではありません。他の研究者がその種を再採集する際にも、きわめて重要です。同じ場所・同じ手法で採集できなかったのならば、その種がその場からいなくなってしまった可能性も考えられます。また、標本番号をもとに、後世の研究者が記載に用いた標本を研究できるようにするため、記載論文では再現性の担保が正確に書かれていることが重要です。

次の「結果」では、その研究で得られたデータを明示します。そしてその次の「議論」で、「結果」のデータを基に、「緒言」で提唱した仮説の真偽を判定（議論）します。ただし、ここで仮説が100%検証される必要はありません。「今回の結果では仮説の検証は難しかった。しかし○○ということが考えられる。」といった内容でも良いのです。重要なのは、「結果から客観的に何がいえるか」であり、それを次につなげることが、この「議論」のセクションの存在意義となります。

では、記載論文ではどうでしょうか。記載論文においては、「結果」にあたる部分が「記載（Description）」となります[5]（**図3**）。この部分で、観察した個体の情報を、文字どおり漏れなく「記載」します。

分類学の論文が「記載論文」と呼ばれる所以は、まさにここにあります。新種記載の場合は、タイプ標本に基づき、体の各部位のプロポーションから、体表に生じる毛の数や鱗の数、形、サイズとそ

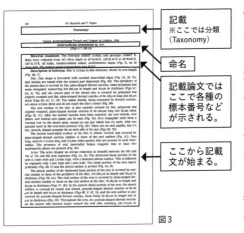

記載
※ここでは分類
（Taxonomy）

命名

記載論文では
ここで各種の
標本番号など
が示される。

ここから記載
文が始まる。

図3

140

の部位ごとの変遷、さらに体内の内臓の配置など、可能な限り細かく記します（図4）。後世の研究でも比較ができるように、現在は分類に使われていない部分についても、写真やスケッチを添えて細かく記載します。現在では、各種の電子顕微鏡を用いて、通常の顕微鏡では観察ができない、0.001 mm単位の形状の違いなども示している記載論文も見られます。また、このセクションで記載されるのは形だけではありません。鳥類や両生類（とくにカエル）では鳴き声を、一部の植物では花の匂いを、さらに最近ではDNA配列の違いなども、その生物の特徴として記載する論文が増えてきました。このように記載論文では、あらゆる生物の特徴を「記載」します。

　そして、「記載」のセクションでもうひとつ重要な点が「命名」です。

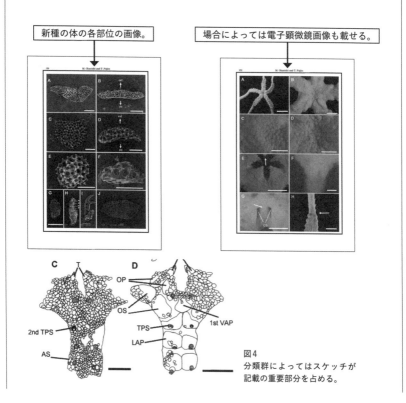

新種の体の各部位の画像。

場合によっては電子顕微鏡画像も載せる。

図4
分類群によってはスケッチが
記載の重要部分を占める。

例えば新種記載では、記載をはじめる前に、その種の名前を新たに明示します。たとえば私が2009年に記載したアマミヒトデモドキであれば、以下のように記し、その後に記載文が続きます。

Asteroschema amamiense sp. nov.

「sp. nov.」で「新種」という意味になり、これが種名に添えられて初めて、新種の名前が科学界に提唱されたことになります。国際動物命名規約においては「新種を明言すること」という決まりがありますが、この「sp. nov.」によってその条件を満たすのです。ほかにも新種を表す言葉として、「n. sp.」や、あるいは英語で「new species」と書くこともあります。

記載論文において「議論」のセクションは、「備考（Remarks）」に置き換えられるのが一般的です（**図5**）。「備考」では、論文において記載した個体が、なぜ新種なのか、その根拠を述べます。丁寧な論文では近しい（例えば同属の）種すべてと比較することもありますが、同属に数十種いるような場合や、明らかに形態の異なる種がいる場合は、形態が似たもののみを比較します。

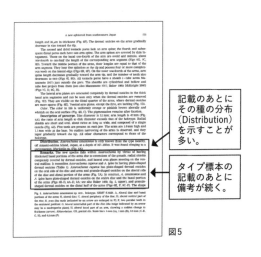

記載のあとにその種の分布（Distribution）を示すことが多い。

タイプ標本の記載のあとに備考が続く。

図5

たとえば「本研究で記載した個体は、板状の骨を持つ点で *Asteroshcema* 属の *A. capensis* と *A. igloo* に似る。しかし、これらの2種は腕に生じる針が2本なのに対し、本研究で記載した個体は1本である。従って本研究では、本種を新

種と判断した。」といった具合です。

　ただし、複数種を新種記載する論文の場合、「記載（結果）」がとても長くなり、「備考（議論）」にたどり着くころには読者が「記載」の内容を忘れてしまいかねません。そこで記載論文では、「記載」と「備考」をすぐに比較できるよう、種ごとに「記載」と「備考」をセットにしたものがあります。ちなみに、記載論文においては、「備考」とは別に、論文の最後に「議論」を持ってきて、記載した生物全体の生物相の考察を述べることがあります。そのため、種ごとの分類に関する議論のセクションは、「備考」という呼び方に変化したのかもしれません。

　そして「謝辞」では、研究に際してお世話になった方や機関にお礼を述べます（**図6**）。記載論文では、標本の採集や観察を行う際にお世話になった各地の研究施設や研究設備の名前、研究プロジェクトの参加者の名前を入れるのが一般的です。

　最後の「引用」では（**図6**）、論文を書くにあたって参考にした別の論文のリストを掲載します。このセクションの体裁は、一般の科学論文と変わりありませんが、記載論文の場合は専門家が少なく研究が進んでいない分野も多いため、1700年代や1800年代の論文が引用されることもザラです。

　私の考えでは、この「引用」のセクションにも、記載論文の特徴が出ると思います。つまり、記載論文≒分類学では、文献情報の整理が非常に重要なのです。その生物を新種と判断するには、前述したように、「他の種」とどう異なるかを判断

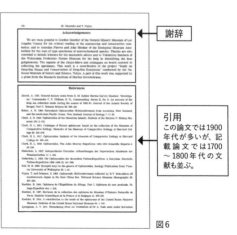

謝辞

引用
この論文では1900年代が多いが、記載論文では1700～1800年代の文献も並ぶ。

図6

する必要があります。多くの種を網羅したものといえば図鑑ですが、図鑑は、魚や貝、昆虫のような有名な分類群でない限りなかなか出版されません。さらにその図鑑においても、古今東西すべての種が掲載されていることは稀です。仮にそうであったとしても、日々記載される新種がアップデートされ続ける図鑑は存在しません。従って、「図鑑に載っていないから新種」という判断には危険が伴います。では新種を記載している人はどうしているかというと、自分の専門の分類群の記載論文を、常にチェックし、自分のデータベースを更新しているのです（もしくはその術を心得ている）。つまり、自分なりの最新の図鑑が自分の中にあるということです。新種を記載できるのは、新種の可能性がある生物を観察する際に、その「自分図鑑」と比較できる人だといっても過言ではないでしょう。そしてその証拠が表れるのが、記載論文の「引用文献」なのです。

　ただし、このような文献集めは、新種記載や分類学の高いハードルともなっていました。なぜなら以前は、このような文献の収集を図書館に依頼して自力で行う必要があり、多大な労力が必要だったからです。しかし近年は、インターネットのおかげで格段に楽になり、新種記載が以前よりも簡単に行えるようになってきた感があります。

※1　Okanishi, M. and Fujita, T. (2009) A new species of *Asteroschema* (Echinodermata: Ophiuroidea: Asteroschematidae) from Southwestern Japan. *Species Diversity*. 14 (2): 115-129.
※2　本コラムでは新種の記載論文に焦点を当てているが、実際には種よりも高位の新属や新科、または低位の新亜種などを対象にしたものも記載論文という。また、既知種の再記載などの、新分類群の提唱を含まないものも、立派な記載論文。
※3　本来の読みは「しょげん」だが、「ちょげん」という読みも認められている。
※4　架空のタイトル。
※5　「分類（Taxonomy）」「体系学（Systematics）」などの場合もある。

図1〜6　©2009 The Japanese Society of Systematic Zoology

いろいろな学名

学名の意味

●サウルスはトカゲ

ここではいろいろな学名を紹介しながら、できるだけ意味も見ていきましょう。

古生物の図鑑を見ていると、名前によく登場する言葉があります。その代表例が、「サウルス（saurus）」ではないでしょうか。これはギリシャ語由来の言葉で、「トカゲ」という意味があります。日本では、キャラクター名や商品名に「○○ザウルス」とつけられることもありますが[1]、学名のスペルは「saurus」なので「ザウルス」と濁ることはありません。

「サウルス」の代表は、恐竜をはじめとする中生代の爬虫類ですね。恐竜はトカゲではありませんが、分類名の「Dinosauria（ディノサウリア）」にも、英名の「dinosaur（ダイナソー）」にも、「恐ろしいトカゲ」という意味があります。

Stegosaurus ステゴサウルス（屋根のトカゲ）**（口絵2-3）**
　　爬虫綱・鳥盤目
Allosaurus アロサウルス（異なるトカゲ）
　　爬虫綱・竜盤目
Nyctosaurus ニクトサウルス（コウモリのトカゲ）
　　爬虫綱・翼竜目

memo

ニホントカゲやヒガシニホントカゲの属名は「*Plestiodon*（たくさんの歯）」。サウルスではなく、オドンが使われている。

Geosaurus　ゲオサウルス（岩のトカゲ）
　爬虫綱・ワニ目
Champsosaurus　チャンプソサウルス（ワニのトカゲ）
　爬虫綱・コリストデラ目
Pleurosaurus　プレウロサウルス（肋骨のトカゲ）
　爬虫綱・ムカシトカゲ目
Mosasaurus　モササウルス（ムーズ川のトカゲ）
　爬虫綱・有鱗目
Elasmosaurus　エラスモサウルス（薄板のトカゲ）
　爬虫綱・首長竜目
Ichthyosaurus　イクチオサウルス（魚のトカゲ）
　爬虫綱・魚竜目
Mesosaurus　メソサウルス（中間のトカゲ）
　爬虫綱・中竜目
Mastodonsaurus　マストドンサウルス（乳房状の歯のトカゲ）
　両生綱・分椎目
Edaphosaurus　エダフォサウルス（土のトカゲ）
　単弓綱・盤竜目
Lystrosaurus　リストロサウルス（スプーンのトカゲ）
　単弓綱・獣弓目
Basilosaurus　バシロサウルス（王のトカゲ）（図2-5）
　哺乳綱・クジラ偶蹄目

　上記のうち、分類学的に「トカゲ」といえるのは有鱗目のモササウルスのみですが、トカゲから意味を拡大して、爬虫類に属する古生物は「サウルス」をつけられがちです。ちなみに、現生の爬虫類にも、*Chlamydosaurus*（エリマキトカゲ属（図2-6））、*Goniurosaurus*（トカゲモドキ属）、*Zanosaurus*（オビトカゲ属）などサウルスのつくも

━━memo━━
強力な毒を持つヤジリハブ属（*Bothrops*）のヘビは、和名が独特。ハララカ（*B. jararaca*）は「大きなヘビ」を意味する種小名をカタカナ化した名だが、テルシ

図2-5　バシロサウルスと2本の歯根がある歯

のはいますが、多くはありません。

　また、上記の中には爬虫類ではないサウルスもいます。これは、記載時に爬虫類だと考えられていたためです。たとえばバシロサウルスは、新生代になってから現れた原始的なクジラで、巨大なヘビのような体つきをしていました。そのためハーラン[※2]は、1834年に「王のトカゲ」を意味する学名（属名のみ）を記載したのです。しかしオーウェン[※3]は、これが哺乳類であることに気づきます。そこでハーラン同意

図2-6　エリマキトカゲ
（クラミドサウルス）

のもと、1839年に新たな学名を記載しました。

Basilosaurus Harlan, 1834　バシロサウルス属
Zeuglodon cetoides Owen, 1839　ゼウグロドン・ケトイデス

オペロ（*B. asper*）はスペイン語で「ビロード」を意味する「terciopelo」、カイサカ（*B. atrox*）はポルトガル語の現地名「*caiçaca*」に由来するようだ。

図2-7　カラッパ（トラフカラッパ）

ゼウグロドンとは「くびきの歯」[※4]、ケトイデスは「クジラのような」という意味です。この属名は、哺乳類の歯の特徴である「歯根」に注目したものでしたが、属名の「先取権」はバシロサウルスにありました。そのため、ゼウグロドンは無効とされ、種小名のケトイデスだけが残り、現在はこのような学名になっています。

Basilosaurus cetoides（Owen, 1839）　バシロサウルス・ケトイデス

●オドンは歯

ゼウグロドンの「オドン（odon）」[※5]というのも、古生物ではよく聞く名前ですよね。これは、ギリシャ語で「歯」を意味し、以下のようなものがいます。

Iguanodon　イグアノドン（イグアナの歯）
　爬虫綱・鳥盤目
Troodon　トロオドン（傷つける歯）
　爬虫綱・竜盤目
Pteranodon　プテラノドン（歯のない翼）
　爬虫綱・翼竜目
Hyperodapedon　ヒペロダペドン（上顎の敷石状の歯）
　爬虫綱・リンコサウルス目
Prognathodon　プログナトドン（前の顎と歯）
　爬虫綱・有鱗目

memo
カニのカラッパ（**図2-7**）は、属名*Calappa*をカタカナ化したもの。これはインドネシア語でヤシを意味する「kelapa」に由来し、鋏脚を畳んだ姿がヤシの

148

Liopleurodon リオプレウロドン（平らな面の歯）

　爬虫綱・首長竜目

Dimetrodon ディメトロドン（2つの種類の歯）

　単弓綱・盤竜目

Thrinaxodon トリナクソドン（3つの突起の歯）

　単弓綱・獣弓目

Obdurodon オブドゥロドン（長持ちする歯）

　哺乳綱・カモノハシ目

Triconodon トリコノドン（3つの錐の歯）

　哺乳綱・三錐歯目

Alphadon アルファドン（最初の歯）

　哺乳綱・オポッサム目

Procoptodon プロコプトドン（前の切る歯）

　哺乳綱・カンガルー目

Glyptodon グリプトドン（彫刻された歯）(口絵2-5)

　哺乳綱・アルマジロ目

Platybelodon プラティベロドン（平らに突き出した歯）

　哺乳綱・ゾウ目

Toxodon トクソドン（弓の歯）

　哺乳綱・南蹄目

Stylinodon スティリノドン（柱の歯）

　哺乳綱・紐歯目

Coryphodon コリフォドン（リーダーの歯）

　哺乳綱・汎歯目

Squalodon スクアロドン（海の魚の歯）

　哺乳綱・クジラ偶蹄目

Hyracodon ヒラコドン（ハイラックスの歯）

　哺乳綱・ウマ目

実に似ているため。英名の「shame-faced crab（恥ずかしそうなカニ）」は、
恥ずかしそうに顔を隠しているように見えることから。

Smilodon　スミロドン（ナイフの歯）（口絵2-11）

　　哺乳綱・ネコ目

Hyaenodon　ヒエノドン（ハイエナの歯）

　　哺乳綱・肉歯目

　サウルスは爬虫類ばかりですが、オドンは哺乳類が多いですね。これは、哺乳類の歯が「異歯性」[※6]で、食べものによって形の違いが大きく、歯に特徴が出やすいためです。また、属名ではありませんが、巨大ザメのメガロドン（megalodon）も「大きい歯」を意味します[※7]。

　ウルトラ怪獣にも、テレスドン、ガヴァドン、スカイドン、パンドン、グドン、バードンなど、「〇〇ドン」という名前が多いのは、こうした古生物の影響でしょう。ただしよく見ると、本来の形である「odon」には、あまりなっていません[※8]。ちなみに、ゴジラ映画に登場するラドンは、英語表記が「Rodan」なので、「歯」とは関係がないようです[※9]。

　ほかにも、よく見かける言葉には以下のようなものがあります。古生物の図鑑には、学名の意味が載っているものも多いので、そこに注目すると語彙が広がるでしょう。

-therium（獣／テリウム）

　Potamotherium（川の獣／ポタモテリウム）

　Deinotherium（恐ろしい獣／デイノテリウム）

　Megatherium（巨大な獣／メガテリウム）

-ornis（鳥／オルニス）

　Anchiornis（ほとんど鳥／アンキオルニス）

　Gastornis（大食いの鳥／ガストルニス）

　Dinornis（恐ろしい鳥／ディノルニス（ジャイアントモア属））

memo

毒針で獲物をしとめるイモガイは、貝殻の形がサトイモに似ていることからその名がある。属名の「*Conus*」はラテン語で「円錐」を意味し、猛毒を持つことで

-suchus（ワニ／スクス）

  Postosuchus（原始的なワニ／プロトスクス）

  Deinosuchus（恐ろしいワニ／デイノスクス）

  Sarcosuchus（肉食のワニ／サルコスクス）

  Melanosuchus（黒いワニ／メラノスクス（クロカイマン属））

-chelys（カメ／ケリス）

  Proganochelys（最古のカメ／プロガノケリス）

  Eorhynchochelys（黎明期のくちばしのあるカメ／エオリンコケリス）

  Kappachelys（河童のカメ／カッパケリス）

  Dermochelys（皮膚のカメ／デルモケリス（オサガメ属））

-pithecus（類人猿／ピテクス）

  Oreopithecus（山の類人猿／オレオピテクス）

  Ardipithecus（大地の類人猿／アルディピテクス）

  Gigantopithecus（巨大な類人猿／ギガントピテクス）

  Australopithecus（南の類人猿／アウストラロピテクス）

-lagus（ウサギ／ラグス）

  Palaeolagus（古いウサギ／パレオラグス）

  Pliopentalagus（鮮新世の5つのウサギ／プリオペンタラグス）

  Nuralagus（メノルカ島のウサギ／ヌララグス）

  Oryctolagus（穴のウサギ／オリクトラグス（アナウサギ属））

-cetus（クジラ／ケトゥス）

  Pakicetus（パキスタンのクジラ／パキケトゥス）

  Ambulocetus（歩くクジラ／アンブロケトゥス）

  Perucetus（ペルーのクジラ／ペルケトゥス）

有名なアンボイナ（*C. geographus*）のほか、ナガイモ（*C. australis*）、ヤキイモ（*C. magus*）、ベニイモ（*C. pauperculus*）などの種がいる。

-caris（エビ／カリス）
　Anomalocaris（奇妙なエビ／アノマロカリス）
　Kitakamicaris（北上山地のエビ／キタカミカリス）
　Nectocaris（ネクトカリス／泳ぐエビ）
　Lepidocaris（鱗のあるエビ／レピドカリス）

-ceras（角／ケラス）
　Orthoceras（まっすぐな角／オルトケラス）
　Cameroceras（小部屋のある角／カメロケラス）
　Synthetoceras（寄せ集めの角／シンテトケラス）
　Diceros（2本の角／ディケロス（クロサイ属））

-pterus（翼／プテルス）
　Eurypterus（広い翼／ユーリプテルス）
　Gigantopterus（巨大な翼／ギガントプテルス）
　Polypterus（たくさんの翼／ポリプテルス）
　Cynopterus（イヌの翼／キノプテルス（コバナフルーツコウモリ属））

-aspis（甲羅／アスピス）
　Sacabambaspis（サカバンバ村の甲羅／サカバンバスピス）
　Arandaspis（アランダ族の甲羅／アランダスピス）
　Doryaspis（槍のある甲羅／ドリアスピス）
　Pteraspis（翼のような甲羅／プテラスピス）

-mimus（もどき／ミムス）
　Suchomimus（ワニもどき／スコミムス）
　Ornithomimus（鳥もどき／オルニトミムス）
　Struthiomimus（ダチョウもどき／ストルティオミムス）

memo
始祖鳥の属名は「Archaeopteryx（アルカエオプテリクス）」だが、最古の樹木とされるシダ植物の属名は「Archaeopteris（アルカエオプテリス）」。

-raptor（略奪者／ラプトル）

Microraptor（矮小な略奪者／ミクロラプトル）

Fukuiraptor（福井県の略奪者／フクイラプトル）

Oviraptor（卵の略奪者／オヴィラプトル）

※1　怪獣王ゴジラは、ゴジラザウルスという架空の恐竜が、水爆実験により怪獣化したという設定。また、現実世界でも、東京生まれのアメリカ人、ケネス・カーペンター博士により、1997年にはゴジラサウルスという恐竜が記載されている。
　　　　Gojirasaurus quayi Carpenter, 1997

※2　リチャード・ハーランはアメリカの古生物学者。

※3　リチャード・オーウェンはイギリスの古生物学者。「恐竜類（Dinosauria）」および「恐竜（dinosaur）」という名称の考案者としても知られる。

※4　牛馬の首の後ろに装着する横木。車を引かせるときなどに使う。2本の歯根を、2頭の家畜をつなぐ「くびき」にたとえたもの。

※5　語中で子音に結びつくと「コドン」「ノドン」「ロドン」のようになる。下記のように語頭に来る場合もある。
　　　　Odontochelys　オドントケリス（歯のあるカメ）

※6　部位によって形や機能に違いのある歯を持つこと。逆に、魚や爬虫類のほとんどは、どの歯も同じ形をした「同歯性」。

※7　メガロドン（megalodon）は英名または種小名。ほかの古生物のように属名で呼ばれないのは、長らく現生のホホジロザメと同じ*Carcharodon*属だと考えられていたため。現在は、*Otodus*属あるいは*Carcharocles*属とされることが多い。
　　　　Carcharodon megalodon Agassiz, 1843
　　　　Otodus megalodon (Agassiz, 1843)
　　　　Carcharocles megalodon (Agassiz, 1843)

メガロドンの歯と顎

※8　「odon」の形の怪獣名が確認できたのは、『ザ・ウルトラマン』のワニゴドン、『ウルトラマン80』のマーゴドンのみ。

※9　翼竜のプテラノドン（*Pteranodon*）や、放射性元素のラドン（radon）との関連が指摘されている。にもかかわらず英語表記が「Rodan」なのは、「Radon」だと「レイドン」と発音されてしまうため、「ラドン」により近い「Rodan」（ロゥドゥン）になったのだろう。

学名をもとにした和名

●学名だけでなく和名も必要？

哺乳類や鳥類など一部のメジャーな分類群を除いて、外国の生きものには和名がないものが多いということは、前にも触れました。昆虫はメジャーな分類群ですが、種数があまりにも多いので和名のあるものは少なく、日本に分布しない昆虫のほとんどは学名で呼ばれます。

ところが、子どもにも人気がある一部の外国産昆虫は、しばしば図鑑や博物館などで紹介されます。そうした場合、かつてはバイオリンムシ（**図2-8**）やコノハムシ、ハナカマキリのように、形態に則した和名がつけられることもありました。しかし近年は、「種小名のカタカナ読み＋属の和名」で表すことが多くなっています。これには、1999年に植物防疫法が改正され、カブトムシやクワガタムシの生体が輸入できるようになったことも影響しているのではないでしょうか。

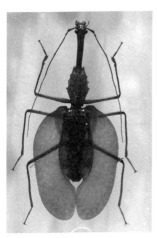

図2-8　バイオリンムシ

　従来の、標本蒐集家（死に虫屋）を対象にした標本取引であれば、学名でやり取りするほうが間違いありません。でも、20世紀末に急増した生体飼育者（生き虫屋）の中には学名になじみのない層も多く、お店では和名を併記するようになったようです。とくにライト層が多いホームセンターのペット売り場では、学名が書かれていないこともめずらしくありません。やはり、新規のお客さんにとっては、和名のほうがとっつきやすいでしょうね。

memo

種小名は重複しても構わないため、よく見る単語もある。色をラテン語で表すと、「alba」は「白の」、「nigra」は「黒の」、「rubra」は「赤の」、「caerulea」は「青

●お手軽な和名のつけ方

学名とは異なり、和名を
つける場合に共通ルールは
ありません。でも、各ショッ
プがめいめいに和名をつけ
てしまうと混乱するので、
ルールっぽいものは存在し
ます。ここでは例として、
いろいろなノコギリクワガ
タ属（*Prosopocoilus*）の学
名と和名を紹介しましょう。

図2-9　ノコギリクワガタ

Prosopocoilus　ノコギリクワガタ属
　ギリシャ語で「窪（くぼ）んだ顔」を意味し、大顎（おおあご）のあいだの「頭楯（とうじゅん）」が
　窪んでいることから。

Prosopocoilus inclinatus　ノコギリクワガタ（図2-9）
　日本のノコギリクワガタ。属の和名にもなっている。種小名はラ
　テン語の「傾いた」という意味であり、大顎が大きくカーブする
　ことから。

Prosopocoilus biplagiatus　ビプラギアトゥスノコギリクワガタ
　「bi」は「2」、「plagiatus」は「斜めに置く」という意味で、体
　を縦に走る2本の斜線から。

Prosopocoilus bison　ビソンノコギリクワガタ
　種小名はウシ科のバイソンを意味し、大顎をバイソンの角に見立
　てたもの。

の」、「flavum」は「黄色の」、「auratus」は「金色の」、「concolor」は「単色の」、
「bicolor」は「2色の」、「tricolor」は「3色の」という意味。

Prosopocoilus buddha　ブッダノコギリクワガタ
　インドに生息することから、仏教の聖人「仏陀（Buddha）」に
　献名された。

Prosopocoilus confucius　コンフキウスノコギリクワガタ
　中国に生息することから、儒教の聖人である「孔子（Confucius）」
　に献名された。

Prosopocoilus fabricei　ファブリースノコギリクワガタ
　記載者のジャン＝ピエール・ラクロアが、息子のファブリスに献
　名したもの。

Prosopocoilus giraffa　オオキバナガクワガタ
　世界最大のノコギリクワガタ。ギラファノコギリクワガタともい
　う。種小名は「キリン（giraffe）」を意味し、長い大顎をキリン
　の首に見立てたもの。

Prosopocoilus mirabilis　ミラビリスノコギリクワガタ
　種小名は「すばらしい」を意味するラテン語で、その美しい体色
　から。

Prosopocoilus parryi　パーリーノコギリクワガタ
　イギリスの昆虫学者フレデリック・ジョン・シドニー・パリーに
　献名したもの。

Prosopocoilus savagei　サバゲノコギリクワガタ
　種小名は「野蛮（savage）」を意味し、本種の気性の荒さを表し
　ている。

----

memo

地名で種小名によく使われるものには、「orientalis（東洋の）」、「occidentalis（西
洋の）」、「borealis（北の）」、「australis（南の）」、「australiensis（オーストラリ

156

Prosopocoilus speciosus　スペキオサスノコギリクワガタ
　種小名はラテン語で「美しい」という意味。体色が美しいことに
　由来する。

Prosopocoilus wallacei　ウォレスノコギリクワガタ
　イギリスの博物学者アルフレッド・ラッセル・ウォレスに献名し
　たもの。

Prosopocoilus zebra　ゼブラノコギリクワガタ
　美しい縞模様を、「シマウマ（zebra）」に見立てたもの。

※これらの和名は、農林水産省の機関である「植物防疫所」が採用しているもの。

　ラテン語読み、英語読みが混在していますが、ほぼすべてが「種小
名＋属の和名」ですね。このルールにしたがえば、新たなノコギリク
ワガタの仲間（ノコギリクワガタ属）が輸入されても、簡単に和名を
つけることができます。
　オオキバナガクワガタのみ例外なのは、世界最大級のクワガタなの
で、昔から形態に即した和名がつけられていたためです。それでも、
いまはギラファノコギリクワガタと呼ぶことが多くなってきました。
　また、ノコギリクワガタ属は日本に生息しているため、もともと属
の和名がありました。しかしいまは、海外のものについても、
Hexarthrius はフタマタクワガタ属（**図2-10**）、*Odontolabis* はツヤクワ
ガタ属、*Cyclommatus* はホソアカクワガタ属というように、メジャー
な属には和名がつけられています。
　ただし、東南アジア産のコーカサスオオカブトムシ（*Chalcosoma
caucasus*）※1 も、中南米産のヘラクレスオオカブトムシ（*Dynastes
hercules*）も、アフリカ産のケンタウルスオオカブトムシ（*Augosoma*

アの）」、「americanus（アメリカの）」、「sinensis、chinensis（中国の）」、「atlanticus
（大西洋の）」、「pacificus（太平洋の）」などがある。

図2-10　マンディブラリスフタマタクワガタ

centaurus）も、すべてがオオカブトムシと呼ばれるように、必ずしも「種小名＋属の和名」になっているわけではありません[2]。

ちなみに、植物防疫所のリストでは、ほとんどのカブトムシの種名で「ムシ」を省略していません。そのため、アトラスオオカブト属であれば、アトラスオオカブトムシ（*C. atlas*）、コーカサスオオカブトムシ（*C. caucasus*）、モーレンカンプオオカブトムシ（*C. moellenkampi*）と表記されていますが、なぜかエンガノオオカブト（*C. engganensis*）のように「ムシ」が省略されている種もいます。

推測するに、植物防疫所では一度リストに入れた名前を変更できないルールがあるのでしょう。そのため、コーカサスオオカブトムシの学名が *C. chiron* に変わっても、*C. caucasus* をそのまま残し、*C. chiron* を「和名なし」で追加しているのだと思われます。また、エンガノオオカブトなどリストに追加された時期が新しいものは、世の中の実状に合わせ、和名をオオカブトムシではなくオオカブトに変更しているようです。

※1　植物防疫所では、コーカサスオオカブトムシの学名を *Chalcosoma caucasus* としており、*C. chiron* は「和名なし」という扱い。ただし現在は、これらはシノニムと考えられており、先名権のある *C. chiron* が有効だと思われる。

　　　Chalcosoma chiron (Olivier, 1789)

　　　Chalcosoma caucasus (Fabricius, 1801)

memo

クワガタムシというのは、兜の前面につけられていた2本の角のような装飾「鍬形（くわがた）」に、大顎の形が似ていることから名づけられた。

これらの3属は、アトラスオオカブト属（*Chalcosoma*）、ヘラクレスオオカブト属（*Dynastes*）、ケンタウルスオオカブト属（*Augosoma*）と呼ばれる。ただし、「種小名＋属の和名」ルールに則って、コーカサスオオカブトムシ（*C. caucasus*）をコーカサスアトラスオオカブト、ネプチューンオオカブトムシ（*D. neptunus*）をネプチューンヘラクレスオオカブト、ニセケンタウルスオオカブトムシ（*A. hippocrates*）をヒッポクラテスケンタウルスオオカブトと呼ぶことはない。

mini コラム ## デグーとテグー

　ネズミのデグーとトカゲのテグーは、どちらも知名度がいまいちなので、混同されがちです。デグーはチンチラ科やテンジクネズミ科に近縁のデグー科に分類され、大きさはモルモットとハムスターの中間くらい。一方、テグーはカナヘビ科に近縁のテユー科（まぎらわしいことにテグー科ではない）に分類され、なかには全長1.5mに達する種もいます。

　このように、まったく違う生きものなのですが、近年はどちらもペットとして流通するようになりました。デグーが逃げ出してもニュースにはなりませんが、テグーが逃げ出すと全国ニュースで取り上げられることがあるので、社会的制裁を受けないよう、管理はしっかりしてください。

デグー

テグー（ミナミテグー）

学名に隠された人名

● 発見者に献名する

ノコギリクワガタの学名を見ると、種小名がいろいろな人物に「献名」されています。献名というのは、生きものに名前（和名もふくむ）をつける際に、特定の人物名を入れ込むこと。学名であれば、種小名に姓のみを入れるのが一般的です[※1]。

献名される対象としてよくあるのが、タイプ標本の発見者です。学名の記載者と新種の発見者が、同じ人物とは限りません。発見者が研究者ではなかったり、研究分野が違っていたりすれば、新種と思われる標本をその分野の専門家に託すことはよくあります。それが検討の結果、新種であると判断されたなら、発見者に敬意を表して献名するのです。

たとえば、青く美しいシーボルトミミズは、体長30cmにもなる日本最大級のミミズです。この標本は、シーボルトが日本で採集しオランダに持ち帰ったものを、ホルスト[※2]が記載しています。ちなみに、シーボルトは1866年に亡くなっているので、献名されたのは死後のことです。

Metaphire sieboldi (Horst, 1883)　シーボルトミミズ

シーボルトは日本の動植物の標本を2万点以上も集め、オランダに持ち帰っています。そして、哺乳類の標本はテミンクが記載していますが、135ページで紹介したように、シーボルトに献名されたものは1つもありません[※3]。おそらく、一度にたくさんの標本を託されたので、すべてにシーボルトの名前をつけるのもおかしいし、どれか1つというのも選びにくかったのではないでしょうか。また、ある程度近い

memo
献名はまれに喜ばれないこともある。たとえば、青木淳一博士は学生時代に、卒業論文でササラダニの新種を記載し、指導教官だった山崎輝男博士に献名した。

分類群で同じ種小名がつけられてしまうと、後世に分類が進んで属の再編が起こった際に、122ページで紹介したホモニムが生じる原因にもなります。そのため、同じ種小名をつけまくるのは考えものなのです。もしテミンクが種小名に「*sieboldi*」を並べていたら、日本の哺乳類の和名（英名）は、シーボルトジカ（Siebold's deer）、シーボルトカモシカ（Siebold's serow）、シーボルトオオコウモリ（Siebold's flying fox）、シーボルトイタチ（Siebold's weasel）……とシーボルトだらけになっていたかもしれません[※4]。

　また、シーボルトは標本を集めただけでなく、専門分野の植物では、ツッカリーニ[※5]とともに記載しています。以下はその一部です。

Pinus densiflora Sieb. et Zucc.　アカマツ

Chamaecyparis obtusa（Sieb. et Zucc.）Endl.[※6]　ヒノキ

Phyllostachys bambusoides Sieb. et Zucc.　マダケ

Euptelea polyandra Sieb. et Zucc.　フサザクラ

Castanea crenata Sieb.et Zucc.　クリ

Prunus mume Sieb. et Zucc.　ウメ

Cornus officinalis Sieb. et Zucc.　サンシュユ

Schoepfia jasminodora Sieb. et Zucc.　ボロボロノキ

Hydrangea otaksa Sieb. et Zucc.　アジサイ

　ここで注目したいのは、アジサイの種小名です。シーボルトは日本滞在中、遊女である楠本滝とのあいだに子をもうけました。「otaksa」というのは、この「お滝さん」に献名したものだと一般にいわれています。シーボルトは記載論文に「この種小名はアジサイの和名『オタクサ』から取った」と書いていますが、当時の日本でアジサイを「オタクサ」と呼んでいた事実は確認されていません。そのため、お滝さんに献名したのだろうと推測されており、「妻ならともかく、愛人に

それがヤマサキオニダニ（*Platynothrus yamasakii*）だが、山崎博士は「山崎鬼とは何ごとだ！」と不機嫌になったという。

献名するのは不道徳だ」と考える研究者[7]もいるようです。ちなみに、アジサイは以下の学名に先取権があったため、「*Hydrangea otaksa*」は無効名となっています。

Hydrangea macrophylla (Thunberg) Ser.　アジサイ

●有名人にも献名できる

　献名のルールについては、「命名規約」[8]で定められているわけではないため、その生きものと無関係な人物の名をつけても問題はありません。なので、愛人だろうが、家族だろうが、芸能人だろうが、王族だろうが、架空の人物だろうが、制限はないわけです。実際に、以下のような有名人に献名された生きものがいます。

Rotaovula hirohitoi Cate & Azuma, 1973
　　吸腔目の巻き貝
　　昭和天皇（日本の皇族）

Kudoa akihitoi Kasai, Setsuda & Sato, 2017
　　多殻目の刺胞動物
　　明仁上皇（日本の皇族）

Kudoa empressmichikoae Kasai, Setsuda & Sato, 2017
　　多殻目の刺胞動物
　　美智子上皇后（日本の皇族）

Ornamentula miyazakii Minowa & Garraffoni, 2021
　　イタチムシ目の腹毛動物
　　宮﨑駿（日本のアニメーター）

memo

カブトムシの大型種には神や英雄に献名されたものが多い。これらは種小名に由来し、ヘラクレスオオカブトをはじめ、ネプチューンオオカブト、サタンオオカ

Acanthella stanleei Nascimento, Cavalcanti & Pinheiro, 2019
　花弁海綿目のカイメン
　スタン・リー（アメリカの漫画原作者）

Pachygnatha zappa Bosmans & Bosselaers, 1994
　クモ目のアゴブトグモ
　フランク・ザッパ（アメリカの音楽家）

Aegrotocatellus jaggeri Adrain & Edgecombe, 1995
　ファコプス目の三葉虫
　ミック・ジャガー（イギリスの音楽家）

Heteropoda davidbowie Jäger, 2008
　クモ目のアシダカグモ
　デヴィッド・ボウイ（イギリスの音楽家）

Melusinaster alissawhitegluzae Thuy & Stöhr, 2018
　ツルクモヒトデ目のクモヒトデ
　アリッサ・ホワイト＝グラズ（スウェーデンの音楽家）

Agra schwarzeneggeri Erwin, 2002
　コウチュウ目のオサムシ
　アーノルド・シュワルツェネッガー（アメリカの俳優）

Anheteromeyenia cheguevarai Manconi & Pronzato, 2005
　淡水海綿目のカイメン
　エルネスト・チェ・ゲバラ（アルゼンチンの革命家）

ブト、アクティオンゾウカブト、ヤヌスゾウカブト、マルスゾウカブト、アトラスオオカブト、キロンオオカブト（コーカサスオオカブト）などがいる。

Chaleponcus quasimodo Enghoff、2014
　ヒキツリヤスデ目のヤスデ
　カジモド（『ノートルダムのせむし男』※9の主人公）

図2-11　ナイルティラピア

　こうした学名はめずらしいものではなく、ミック・ジャガーやデヴィッド・ボウイのようにたくさんの生きものに献名されている有名人も少なくありません。また、昭和天皇や明仁上皇には生物の研究者としての側面もあり、ご自身でも新種を記載されています※10。

　学名ではありませんが、ナイルティラピア（図2-11）のタイ語名は「プラーニン」※11といいます。これは「明仁の魚」という意味。明仁上皇はタイ王室と親交が深く、皇太子時代にタイの食料事情を改善するため、ナイルティラピアを50匹寄贈しました。それがのちにタイの河川に放流され、たいへんポピュラーな食用魚となったため、謝意を込めて明仁上皇に献名されたようです。

● 自分の名前をつけるのはかっこ悪い？

　さて、ここまで献名について紹介してきましたが、「自分の名前は入れないの？」と思いませんでしたか。じつは、自分の名前を学名に入れることは、慣例上ありません。命名者名は学名の後ろに併記されるので、さらに自分の名前を連ねるのは「かっこ悪い」のです。

　ただし、いくつか例外もあります。その1つが、リンネソウです。

Linnaea borealis L.　リンネソウ

memo
キシャヤスデは土中で8年かけて成虫になると、繁殖のために地表に出てきて大きな集団をつくる。大発生した繁殖集団が線路上に現れると、踏み潰した体

命名者名の「L.」とはもちろん、二名法を確立したリンネのこと。この学名は、1753年に出版された『植物の種』において記載されました。リンネはこの植物がお気に入りで、のちに自分のシンボルとしており、リンネソウを手にした肖像画も残っています（**図2-12**）。

　ただし、*Linnaea* という属名をつけたのは、リンネ自身ではありません。もともとはグロノヴィウス[※12]がリンネに献名したものでしたが、その時点ではまだ学名として有効ではなかったのです。

図2-12　リンネソウを持つリンネの肖像画
出典：Wikimedia Commons

　リンネは1753年出版の『植物の種』において、当時のヨーロッパで知られていたすべての植物を二名法で記載しています。そのため、これは学名の出発点となる出版物なのですが、それ以前から二名法は使われはじめていました。*Linnaea* はそうした黎明期につけられたもので、形式上は『植物の種』に記載したリンネが命名者になっているというわけです。

　このように、自身に献名というのは本来ないことなのですが、2020年に破天荒な研究者が現れました。それが、タイのヌクル・セーンパーン博士です。

Macrobrachium saengphani Saengphan et al., 2020
セーンパーンテナガエビ[※13]

　自身に献名というのは、命名規約で禁止されているわけではないの

液で車輪が滑ってしまい、汽車や電車が運休することから、このような名前がつけられた。

で、この学名は有効です。しかし、学術雑誌※14は査読を経て掲載されるので、慣例に照らし合わせて、この学名には問題があるとリジェクト（掲載拒否）されてもおかしくなかったでしょう。

※1　ただし、属名に献名されたり、フルネームで献名されたりする例もある。
　　　Victoria amazonica　オオオニバス
　　　　イギリスのアレクサンドリナ・ヴィクトリア女王に献名。
　　　Thomashuxleya rostrata　トマスハクスレイア
　　　　イギリスの生物学者トマス・ヘンリー・ハクスリーに献名。
　　　Massalongia nakamuratetsui　ミズメタマバエ
　　　　日本の中村哲医師に献名。
※2　ルトガー・ホルストはオランダの動物学者。
※3　ただしテミンクは、鳥類と硬骨魚類でシーボルトに献名している。しかし、和名にはシーボルトがつかない。
　　　Treron sieboldii (Temminck, 1835)　アオバト
　　　Nipponocypris sieboldii (Temminck et Schlegel, 1846)　ヌマムツ
※4　オニヤンマもシーボルトに献名されているものの1つ。和名に「シーボルト」はつかないが、英名は「Siebold's dragonfly」。
　　　Anotogaster sieboldii Sélys, 1854　オニヤンマ
※5　ヨーゼフ・ゲアハルト・ツッカリーニはドイツの植物学者。
※6　「国際動物命名規約」では、属名の変更があった場合、命名者名を（　）書きにするのみだが、「国際藻類・菌類・植物命名規約」ではさらに、（　）の後ろに属の変更者の名を入れる（記載年を入れることは推奨されていない）。この学名は、シーボルトとツッカリーニによって記載されたが、のちにオーストリアのシュテファン・エンドリヒャーによって属が変更されたことを表している。
※7　牧野富太郎は、「(シーボルトが) 布団の中で目尻を下げていた女郎（お滝さん）に献名し、大いにこの花（アジサイ）の神聖を涜した。」と、強く非難した。ただし、牧野自身も品行方正な人物ではないので、「お前がいうな」という意見もある。ちなみに、牧野は自身の妻（壽衛）に献名している。
　　　Sasaella ramosa var. *suwekoana*　スエコザサ（アズマザサの変種）
※8　「国際動物命名規約」「国際藻類・菌類・植物命名規約」「国際原核生物命名規約」のこと。

---

memo

マクラギヤスデという種名は、1つ1つの節のあいだに隙間があり、線路の下に敷く枕木を並べたような姿をしていることに由来する。

※9　フランスの小説家であるヴィクトル・ユーゴーの小説。

※10　昭和天皇（諱は裕仁）はヒドロ虫（刺胞動物）などの研究者として、明仁上皇はハゼなどの研究者として、以下のようにご自身でも新種を記載されている。

　　Corymorpha sagamina Hirohito, 1988 サガミオオウミヒドラ
　　Pandaka trimaculata Akihito and Meguro, 1975　ミツボシゴマハゼ

※11　プラーは「魚」、ニンは「仁（明仁）」を意味する。ちなみに、タイ語でサバはプラーサバ、ブリはプラーブリ、サンマはプラーサンマ、イワシはプラーイワシというように、タイ語の魚の名前には意外と日本語由来のものがある。

※12　ヤン・フレデリック・グロノヴィウスはオランダの植物学者。

※13　記載者名を省略しない場合は、以下のようになる。

　　Macrobrachium saengphani Saengphan, Panijpan, Senapin, Laosinhai, Suksomnit & Phiwsaiya, 2020

※14　掲載されたのは、ニュージーランドのマグノリアプレス社が発行する『Zootaxa』。動物分類学の学術誌で、いわゆる「ハゲタカジャーナル」ではない（111ページのminiコラムを参照）。

（miniコラム）ハイフンを使った学名

　学名に「ハイフン（-）」が使われることはほとんどありません。ただし植物の場合、「*Cladopus austro-osumiensis*（タシロカワゴケソウ）」のように、ハイフンの前後の文字が同じで、つなげると意味がわかりにくくなるものなどで、使用が認められています。

　一方、動物ではハイフンの使用がより厳しく制限され、「動物の形状をアルファベット1文字で表現する」場合のみ、ハイフンでつなげることができます（その場合は使用しなければならない）。

　例として、学名にハイフンを使用した動物には、タテハチョウ科の「*Polygonia c-album*（シータテハ）」がいます。「*c-album*」は「白いC」を意味し、翅の裏にある小さな白いC字型をした模様から。和名もこの「C」に由来します。また、ケシキスイ科の甲虫である「*Parametopia x-rubrum*（マルヒラタケシキスイ）」もハイフンつきの学名です。「*x-rubrum*」は「赤いX」を意味し、鞘翅にある赤褐色の大きなX字型に由来します。

トートニムとは

●ゴリラ・ゴリラはざんねんか？

　以前、拙著『続ざんねんないきもの事典』に掲載する生きものを選んでいたときに、「これもざんねんなのではないか」と編集者から提案を受けたことがあります。それが、こちらです。

　ゴリラの学名は「ゴリラ・ゴリラ」

　私は『ざんねんないきもの事典』に載せる生きものを選ぶときに、「人間から見ると、無駄だったり、意味がなかったりするように思える特徴を持つもの」という基準で選びました。この「ざんねんな特徴」は、生きるのに不利なように思えますが、「そういう進化をしたからには、それが有利な理由がある」というところが肝なので、サブタイトルを「おもしろい！ 進化のふしぎ」としています。つまり、「ざんねんな特徴＝進化の痕跡」ということですね。

　でも、ゴリラ（**図2-13**）の学名が「ゴリラ・ゴリラ」になったのは、サヴェージ[※1]とイジドール・ジョフロワ[※2]という人間の行いによるものです。これは進化とはまったく関係ないため、採用を見送ることにしました。

　ゴリラを新種記載したのは、リベリアに宣教師として派遣されていたサヴェージです。かれはアメリカ帰国後の1847年に、ゴリラを以下の学名で記載しています。「gorilla」というのはギリシャ語で「毛むくじゃらの女性ばかりの部族」を意味し、紀元前500年ごろに記録されていた伝承上のアフリカの部族名です。

Troglodytes gorilla Savage, 1847　ゴリラ

memo
サクラソウ科のシクラメンは、属名（*Cyclamen*）のカタカナ読み。明治時代に輸入され、最初につけられた和名はブタノマンジュウだった。これは球根が饅頭

図2-13　ゴリラ（ニシゴリラ）

図2-14　チンパンジー

　Troglodytes というのはチンパンジー（**図2-14**）の属名で、古代ギリシャで知られていた「洞窟生活をする部族」の名前でした。つまり、サヴェージはゴリラをチンパンジーと同属だと考えたのです。

　ちなみに現在は、チンパンジーの属名として *Troglodytes* は使われていません。チンパンジーはブルーメンバッハ[※3]によって、1775年に *Simia troglodytes* として記載されています。しかし、*Simia* 属は当時知られていたほとんどのサルをふくんでおり、のちに分類が細分化されたために使われなくなりました。1812年にはチンパンジーも、エティエンヌ・ジョフロワ[※4]によって *Simia* 属から *Troglodytes* 属に移されています。

　ところが *Troglodytes* 属は、1809年にスズメ目のミソサザイ属に使用されていました。そのため、チンパンジーの *Troglodytes* 属は無効となり、1816年にオーケン[※5]によって *Pan* 属に移されています。おもに宣教師として活動していたサヴェージは、この変更に気づかなかったらしく、すでに無効だった *Troglodytes* 属の新種としてゴリラを記載したのです。

　なかなか複雑ですが、チンパンジーとミソサザイの学名の変遷は次のとおりです。

─────────────────────────────

のような楕円体で、しばしばブタが掘り返して食い荒らすことに由来する。のちに、カガリビバナという和名もつけられたが、どちらも定着していない。

チンパンジー

Simia troglodytes Blumenbach, 1775
　　↓ 1812年、エティエンヌ・ジョフロワにより属が移動
Troglodytes troglodytes（Blumenbach, 1775）
　　↓ 1816年、オーケンにより属が移動
Pan troglodytes（Blumenbach, 1775）

ミソサザイ

Motacilla troglodytes Linnaeus, 1758
　　↓ 1809年、ヴィエロット[※6]により属が移動
Troglodytes troglodytes（Linnaeus, 1758）

　そして、ゴリラの属名を変更したのは、フランス国立自然史博物館の動物学教授だったイジドール・ジョフロワです。かれは新種記載から5年後の1852年に、ゴリラとチンパンジーは別属にすべき違いがあると考え、ゴリラの属名を*Gorilla*に改めました。ここでようやく、ゴリラの学名がゴリラ・ゴリラとなったのです。

ゴリラ

Troglodytes gorilla Savage, 1847
　　↓ 1852年、イジドール・ジョフロワにより属が移動
Gorilla gorilla（Savage, 1847）

　しかしその後、ゴリラはニシゴリラとヒガシゴリラの2種に分けられたため、現在の和名および英名は以下のようになります。

　Gorilla gorilla（Savage, 1847）
　　ニシゴリラ（英名：western gorilla）

memo ───

「domesticus」はラテン語で「家の」という意味。カイウサギ（*Oryctolagus cuniculus domesticus*）、ブタ（*Sus scrofa domesticus*）、ニワトリ（*Gallus gallus*

図2-15　ニシゴリラ（ニシローランドゴリラ）の動物園の種別ラベル

Gorilla beringei Matschie, 1903
　　ヒガシゴリラ（英名：eastern gorilla）

　さらにその後、ニシゴリラは2亜種に分けられ、基亜種のニシローランドゴリラの学名はゴリラ・ゴリラ・ゴリラになったのです[※7]（**口絵2-12、図2-15**）。

Gorilla gorilla gorilla（Savage, 1847）
　　ニシローランドゴリラ（英名：western lowland gorilla）
Gorilla gorilla diehli（Matschie, 1904）
　　クロスリバーゴリラ（英名：cross river gorilla）

●わりとよくあるトートニム

　日本の動物園で飼育されているゴリラは、すべてニシローランドゴリラなので、ぜひ「種別ラベル」[※8]で学名を確認してみてください。ニシゴリラのように、属名と種小名が同じものを「トートニム（反復名)」といい、亜種のクロスリバーゴリラもトートニムです。さらに、ニシローランドゴリラのように亜種小名まで同じものは「トリプル

---

domesticus）、アヒル（*Anas platyrhynchos domesticus*）、セイヨウリンゴ（*Malus domestica*）など、家畜や栽培植物の学名に使われることがある。

トートニム」ということもあります。

　トートニムは、動物の学名ではとくにめずらしいものではありません。しかし、「国際藻類・菌類・植物命名規約」および「国際原核生物命名規約」では禁止されているので、植物や細菌の学名では無効になります。以下は、トートニムの例です。

トートニム

Papio papio　ギニアヒヒ

Rattus rattus　クマネズミ

Glis glis　オオヤマネ

Crocuta crocuta　ブチハイエナ（図2-16）

Amandava amandava　ベニスズメ

Agama agama　レインボーアガマ

Iguana iguana　グリーンイグアナ（図2-17）

Naja naja　インドコブラ

Suta suta　カールスネーク

Bombina bombina　ヨーロッパスズガエル

Bufo bufo　ヨーロッパヒキガエル

Pipa pipa　コモリガエル（ピパピパ）（口絵2-13）

図2-16　ブチハイエナ

図2-17　グリーンイグアナ

家畜でも、イヌ（*Canis lupus familiaris*）やネコ（*Felis silvestris catus*）のように、「*domesticus*」を使用しない学名もある。逆に、イエスズメ（*Passer*

図2-18　マンボウ

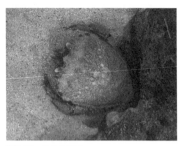
図2-19　アサヒガニ

Pristis pristis　ノコギリエイ

Huso huso　オオチョウザメ

Conger conger　ヨーロッパアナゴ

Mola mola　マンボウ（**図2-18**）

Ranina ranina　アサヒガニ（**図2-19**）

Mercenaria mercenaria　ホンビノスガイ

トリプルトートニム[9]

Indri indri indri　インドリの基亜種

Nasua nasua nasua　アカハナグマ（**図2-20**）の基亜種

Gulo gulo gulo　クズリの基亜種

Meles meles meles　ヨーロッパアナグマの基亜種

Lutra lutra lutra　ユーラシアカワウソの基亜種

Vulpes vulpes vulpes　アカギツネの基亜種

Caracal caracal caracal　カラカルの基亜種

Lynx lynx lynx　オオヤマネコの基亜種

Dama dama dama　ダマジカ（**図2-21**）の基亜種

Bison bison bison
　ヘイゲンバイソン（アメリカバイソンの基亜種（**図2-22**））

---

domesticus）やイエバエ（*Musca domestica*）のように、家屋周辺でよく見られる野生種にも「*domesticus*」は使われる。

図2-20　アカハナグマ

図2-21　ダマジカ

図2-22　ヘイゲンバイソン

図2-23　セキショクヤケイ

Gallus gallus gallus
　セキショクヤケイ（**図2-23**）[10] の基亜種
Coturnix coturnix coturnix　ヨーロッパウズラの基亜種
Sula sula sula　アカアシカツオドリの基亜種
Ciconia ciconia ciconia　シュバシコウの基亜種
Pica pica pica　カササギの基亜種
Troglodytes troglodytes troglodytes　ミソサザイの基亜種
Salamandra salamandra salamandra
　マダラファイアサラマンダー（ファイアサラマンダーの基亜種）
Volva volva volva　ツマベニヒガイ（ヒガイの基亜種）

memo

チンチラ（*Chinchilla chinchilla*）もトートニム。ただし、ペットとして流通しているのはオナガチンチラ（標準和名）で、学名は*Chinchilla lanigera*。

ちなみに、ミーアキャットの基亜種は*Suricata suricatta suricatta*なので、微妙にトートニムではありません[11]。また、スパイスとして使われるクミンという植物の学名も*Cuminum cyminum*と1文字違うため、トートニムを許容しない「国際藻類・菌類・植物命名規約」でも有効名です。

※1　トーマス・ストートン・サヴェージはアメリカの宣教師、医師。
※2　イジドール・ジョフロワ・サン＝ティレールはフランスの動物学者。
※3　ヨハン・フリードリヒ・ブルーメンバッハはドイツの動物学者。
※4　エティエンヌ・ジョフロワ・サン＝ティレールはフランスの博物学者。
　　　上記のイジドールの父。
※5　ローレンツ・オーケンはドイツの博物学者。
※6　ルイ＝ジャン＝ピエール・ヴィエロットはフランスの鳥類学者。
※7　和名と学名の読みが一致するものはわりと少ない。たとえば、トラの基亜種はトラ・トラ・トラではなくベンガルトラ（*Panthera tigris tigris*）。しかし、スマトラ島に生息する亜種はスマトラトラ（*Panthera tigris sumatrae*）なので、和名はややトートニムっぽい。
※8　各動物の前に掲げてある、和名、学名、分類、分布などが記された看板のこと。解説プレート、ネームプレートともいう。
※9　トートニムの種が亜種に分けられると、基亜種は必ずトリプルトートニムになる。
※10　ニワトリ（*Gallus gallus domesticus*）の原種。
※11　基亜種の種小名と亜種小名が同じなのは当然なので、これをトートニムとはいわない。

生きものっぽい名前のウイルス

　いまのところ、ウイルスは生きものではないとされています。ウイルスは「自分の体から自分のコピーを生み出す」という、生物の要件を満たさないからです。しかし、自分の遺伝情報を持ち、それをコピーする※という点は生物的で、ウイルスは生きものだと考える研究者も少なくありません。

　そんなウイルスにも、学名はあります。これは、「国際ウイルス分類委員会（ICTV）」によって規定されるものです。生きものの学名は、「国際動物命名規約（ICZN）」「国際植物科学会議（IBC）」「国際原核生物分類命名委員会（ICSP）」という組織により、それぞれ規約が制定されていますが、これらの組織は分類学的な判断はしません。しかし、国際ウイルス分類委員会は学名ルールの制定だけでなく、その名のとおり分類まで行っています。

　ウイルスの分類には以下のようなものがあり、一見したところ細菌と変わらないように思えます。

　目（order）
　科（family）
　属（genus）
　種（species）
　株（strain）

　しかし、ウイルスはどの分類群にふくまれるのか不明なものが多く、属の階級がないものも少なくありません。また、伝統的に病気と関連して命名されてきたので、「二語で表す」という生きものの学名とはまったく表記が異なります。

　たとえば、「ヒト免疫不全ウイルス（HIV）」はレンチウイルス属（*Lentivirus*）ですが、種名に属名は入りません。

Human immunodeficiency virus 1　略称：HIV-1
Human immunodeficiency virus 2　略称：HIV-2

　これら2種のウイルスはヒトに感染すると、エイズ（AIDS）こと「後天性免疫不全症候群（Acquired immune deficiency syndrome）」を発症させます。「*Human immunodeficiency virus*」の意味は、英語で「ヒトに免疫不全を起こさせるウイルス」という、ウイルス感染による病状を説明したものです。
　次に、「新型コロナウイルス」の学名（種名）を紹介しましょう。

Severe acute respiratory syndrome–related coronavirus
　略称：SARS-CoV

　こちらの学名は、英語で「重症急性呼吸器症候群（SARS）にかかわるコロナウイルス」という意味です。このSARS-CoVには、いくつかの株が存在します。なかでも有名なのが、2002年に「重症急性呼吸器症候群（SARS）」を引き起こした「SARS-CoV-1」という株と、2019年に「新型コロナウイルス感染症（COVID-19）」を引き起こした「SARS-CoV-2」という株です。ちなみに、種名は斜体にしますが、株名は斜体にしません。

Severe acute respiratory syndrome coronavirus 1
　略称：SARS-CoV-1
Severe acute respiratory syndrome coronavirus 2
　略称：SARS-CoV-2

　最後にもう1種、2012年に「中東呼吸器症候群（MERS）」を引き起こしたウイルスを紹介しましょう。

Middle East respiratory syndrome–related coronavirus
　　略称：MERS-CoV

　もうおわかりだと思いますが、こちらの学名は「中東呼吸器症候群（MERS）にかかわるコロナウイルス」という意味ですね。学名を見てもわかりませんが、SARS-CoV も MERS-CoV も同じベータコロナウイルス属（*Betacoronavirus*）にふくまれます。

　ざっと見てきましたが、医療分野以外でウイルスを学名表記することは、ほとんどありません。私も医療にはなじみがないため、ここまで学名のシステムが違うというのは驚きでした。ただし、ウイルスの学名は英語をベースにした説明的なものなので、生きものの学名よりも意味はわかりやすいと思います。

※　ほかの生物の細胞を使って自身をコピーする。

第3章

名前の雑学

混ぜたら別の種に

▲

野生動物の雑種

●作出されたヒョウ属の雑種

おそらく、1980年以前に生まれた方であれば、「レオポン」という名前に聞き覚えがあるのではないでしょうか。レオポンというのは、オスのヒョウとメスのライオンのあいだに生まれた「種間雑種」です[※1]。雑種の名前は、「オスの英名の前半」と「メスの英名の後半」をくっつけて呼ぶことがあります。オスのヒョウ（leopard）とメスのライオン（lion）の子どもならレオポン（leop+on= leopon）、オスのライオン（lion）とメスのヒョウ（leopard）の子どもならライパード（li+pard= lipard）というわけです。

ヒョウ属（*Panthera*）の4種（ライオン、トラ、ジャガー、ヒョウ、（口絵3-1））は、遺伝的な距離が近いので、交尾をして子どもをつくることが可能です。そして、その雑種には、先ほどの例に基づき、右の表のような名前がつけられます。

トラ（tiger）とジャガー（jaguar）は、英語のスペルこそ違うものの、カタカナにするとどちらも後半部分が「ガー」になります。そのため日本語では、ライガー、タイガー、ジャガーの母親がトラなのかジャガーなのか区別できません[※2]。ちなみに、元プロレスラーの獣神サンダー・ライガーさんは、英語の表記が「Jushin Thunder Liger」なので、ライオンの父親とトラの母親のあいだに生まれたライガーがモチーフのようです。

---

memo

ヤギとヒツジの着床前受精卵を凝集させて（つぎ合わせて）つくられたキメラは、「ギープ」と呼ばれる。goat（ヤギ）+ sheep（ヒツジ）でgeep（ギープ）

表　ヒョウ属の雑種の組み合わせ

オス ＼ メス	ライオン lion	トラ tiger	ジャガー jaguar	ヒョウ leopard
ライオン lion		ライガー liger	ライガー liguar	ライパード lipard
トラ tiger	タイゴン tigon		タイガー tiguar	タイガード tigard
ジャガー jaguar	ジャグリオン jaglion	ジャガー jagger		ジャグパード jagupard
ヒョウ leopard	レオポン leopon	レオガー leoger	レガー leguar	

※これらの組み合わせのすべてが、実際に生まれているわけではない。

　また、雑種として生まれた子は、生殖能力を失っていることがよくあります。上記の組み合わせでも、オスの雑種は子孫を残せず、メスの雑種も生殖能力は低くなるようです[※3]。生物の種の概念として、「自然環境下で交配し、子孫を残すことができる集団」とする考え方があります（生物学的種概念）。この考えにしたがえば、雑種は生まれても、継続的に次の世代を残すことはできないので、やはりヒョウ属の4種は別種ということになるでしょう。

● 雑種も子孫を残せる？

　ところが、別種であっても子孫を残せる例はあります。たとえば、日本にはオオサンショウウオが生息していますが、外来種のチュウゴクオオサンショウウオ[※4]とのあいだで雑種化が進行中です（図3-1）。この雑種には生殖能力があるので、世代を経るごとに外来種の遺伝子が広まっていき、「遺伝子汚染」が起こります。とくに京都府の鴨川では、純粋な日本のオオサンショウウオはほぼ見つからなくなっているような状況です[※5]。

　このように、本来は「地理的隔離」によって自然環境下で交配する

だが、キメラだけではなく、ヤギとヒツジの単純な雑種もギープと呼ばれることがある。

図3-1　鴨川で見つけたオオサンショウウオの種間雑種と思われる個体

ことのなかった種同士が、人為的に持ち込まれて雑種を生み出す例は少なくありません。ほかにも、ニホンザル、アカゲザル、タイワンザル、カニクイザルは、すべてマカク属（Macaca）の近縁種なので、交配すれば生殖能力のある雑種が生まれます。そのため、マカク属の外来種は「特定外来生物」に指定され、雑種もふくめて駆除が行われてきました[※6]。

たまに、自然環境下でも雑種が生まれることはあります。なかでもめずらしいのが、イッカク（narwhal）とシロイルカ（beluga）の雑種「ナルーガ（narluga）」です。イッカクとシロイルカは同じイッカク科ですが、イッカクはイッカク属（Monodon）、シロイルカはシロイルカ属（Delphinapterus）なので、種間雑種よりめずらしい「属間雑種」になります。このナルーガは、死体からDNAを抽出、解析したところ、オスのシロイルカとメスのイッカクのあいだに生まれた第1世代の雑種だということが確認されました[※7]。ちなみに、この個体はオスとされていますが、生殖能力があったのかどうかわかっていません。

また、もともとは同じ種だったのに、のちに別種と考えられるようになったため、雑種にされてしまったものもいます。それが、オランウータンの雑種です。かつてオランウータンは1種とされており、動物園でもボルネオ島とスマトラ島のオランウータンを交配させること

図3-2　ボルネオオランウータン　　　　図3-3　スマトラオランウータン

がありました。しかし、21世紀になってボルネオオランウータン（**図3-2**）とスマトラオランウータン（**図3-3**）が別種と考えられるようになると[8]、それらの子どもは雑種となったのです。

　ちなみに、ヒト（*Homo sapiens*）の多くも雑種だといえます。アフリカを出て分布を広げたヒトは、ヨーロッパでネアンデルタール人（*H. neanderthalensis*）と接触していた時期がありました。その期間に、ヒトとネアンデルタール人のあいだで交配が行われていたらしく、現在のヒトの多く[9]はネアンデルタール人の遺伝子を最大で3%ほど受け継いでいるそうです。

---

[1]　ヒョウ属の雑種は、日本ではもう飼育されていない。なぜなら、雑種として生まれた子どもには、内臓や骨、神経系、生殖能力などに問題のあることが多く、そもそも雑種をつくること自体に意味がないという批判があるため。ただし、一部の国ではいまでも飼育されている。

[2]　自動車評論家の徳大寺有恒さんのように、「jaguar」を「ジャグワー」と発音すれば混乱しにくい。

[3]　ヒョウ属の雑種の場合、メスは生殖能力を持つことがある。実際に、以下のような組み合わせで子どもが生まれているが、雑種の第2世代が生まれた例は非常に少ない。
　　　オスのライオン×メスのタイゴン→ライタイゴン（litigon）
　　　オスのトラ×メスのタイゴン→タイタイゴン（titigon）

スのウシ。ジャガー横田さんの「jaguar」はジャガーのオスにもメスにも使われるが、「ジャガレス（jaguaress）」というメスのみを指す言葉もある。

オスのライオン×メスのライガー→ライライガー（liliger）

※4 1972年に食用として輸入されたものが、のちに川へ捨てられたと考えられている。

※5 2022年には、広島県でも雑種のオオサンショウウオが見つかっている。

※6 飼育されていた個体が逃げ出し、千葉県（アカゲザル）や和歌山県（タイワンザル）でニホンザルとの雑種が確認されている。和歌山県での調査によれば、タイワンザルとのあいだにできた雑種の繁殖率はニホンザルよりも高く、雑種であっても繁殖能力の低下は見られないという。

※7 オスのシロイルカ（beluga）とメスのイッカク（narwhal）のあいだに生まれた雑種だが、ベルワル（belwhal）ではなくナルーガ（narluga）。ヒョウ属のように親の性別で名前は変わらないようだ。

※8 2017年以降は、スマトラ島のオランウータンを、さらにスマトラオランウータンとタパヌリオランウータンの2種に分けるようになった。タパヌリオランウータンはスマトラ島に生息しているが、スマトラオランウータンよりもボルネオオランウータンに近縁。

   Pongo pygmaeus（Linnaeus, 1760）
       ボルネオオランウータン
   Pongo abelii Lesson, 1827
       スマトラオランウータン（1827年には亜種として記載）
   Pongo tapanuliensis Nurcahyo, et al., 2017
       タパヌリオランウータン

※9 アフリカ系の人たちは、ユーラシア大陸に進出しなかったヒトの子孫なので、ネアンデルタール人の遺伝子を受け継いでいないとされる。ただし、「アフリカ系のみが純粋なヒトであり、非アフリカ系はヒトとネアンデルタール人の交雑種である」という言い方はあまりしない。

家畜の雑種

● ラバとケッテイ

　野生動物の雑種に、名前がつけられることはまれです。レオポンやライガーというのは、前時代的な見世物としてのネーミングにすぎないでしょう。しかし、雑種をつくることにメリットのある家畜には、むしろ名前をつけるのが一般的です。

　たとえば「ラバ」は、オスのロバとメスのウマの種間雑種です。ロバもウマも同じウマ属（*Equus*）で交配可能ですが、ラバには生殖能力がありません。それなのに、なぜわざわざ雑種を生ませるのかというと、ウマのように体格がよく、ロバのように粗食に耐え、しかも体が丈夫なためです。過酷な環境下で使役するには、大きなメリットがあるわけですね。

　でも、オスのウマとメスのロバから生また「ケッテイ」は、ほとんど飼育されていません。これにはいくつか理由があります。まず、胎児の大きさは母親の子宮の大きさに依存するため、ロバから生まれるケッテイは、ウマから生まれるラバよりも小さくなりがちです。そして、オスのウマはメスのロバに発情しにくく、しかも受精しにくいという問題があります。ちなみに、「騾馬」[※1]も「駃騠」も中国語由来の名称で、英語でラバは「mule」、ケッテイは「hinny」といいます。

　ウマ属にはほかにも雑種がつくられることがあります。それが、シマウマとウマやロバとのあいだにできる「ゼブロイド」。なかでも、やや知名度が高いのは、オスのシマウマとメスのウマのあいだにできるゾース[※2]です。ゼブロイドをつくるにあたり、シマウマの種[※3]は問わないようですが、たいていはサバンナシマウマ（**図3-4**）のオスとのあいだでつくられます。ただし、ゼブロイドに家畜としてのメリットはないため、現代ではほとんどつくられていません。

----

memo

現生のウマ科動物は、すべてがウマ属（*Equus*）。その下位分類群として、ウマ亜属（*Equus*）、ロバ亜属（*Asinus*）、シマウマ亜属（*Hippotigris*）がある。

図3-4　サバンナシマウマ

図3-5　ブリヒラの寿司

●養殖魚の雑種

　家畜ではありませんが、食用に養殖される魚においても、意図的に雑種がつくられることがあります。たとえば「クエタマ」[4]は、超高級魚であるクエと、同じアカハタ属（Epinephelus）で体の大きいタマカイ[5]の交雑種です。味はクエに近いのに、体の大きさはタマカイに迫るものがあり、しかも成長速度はクエの2〜3倍という、養殖するうえで大きなメリットがあります。クエの卵にタマカイの精子をかければクエタマの受精卵となるため、哺乳類のようにペアリングの相性問題はありません。

　ほかにも、最近出回るようになってきた魚に、「ブリヒラ」がいます。これは、メスのブリとオスのヒラマサの雑種です[6]。ブリのような脂と旨味がありながら、ヒラマサ譲りのしっかりした歯ごたえを持つ魚として、注目されています（図3-5）。

　ただし、クエタマもブリヒラも、自然環境には存在しない雑種です。養殖場でしっかり管理されていれば問題ありませんが、生け簀から逃げ出してしまうと、野生個体と交雑してしまう可能性があります[7]。

●亜種間雑種とは

　家畜の場合、同じ種の別の亜種と交配させることがよくあります。

memo
ヨーロッパ原産のセイヨウオオマルハナバチは、温室栽培している植物を受粉させるため輸入された。それが逃げ出して北海道では定着し、在来種のマルハ

186

たとえば、「イノブタ」はイノシシとブタの「亜種間雑種」です。イノブタの肉はイノシシのような風味が強く、しかもブタのように肉量が多いため、食肉用としてある程度の需要があります。

図3-6　アイガモの雛

　ブタはイノシシを家畜化したものなので、もともと同じ種です[※8]。だから、イノブタにも生殖能力があります。そのため、逃げ出した家畜のブタと野生のイノシシが交尾し、世界各地で亜種間雑種が増えているのは大きな問題です。ちなみに、ラテン語の「hybrida」は、狭義で「イノブタ」を意味します（広義では「雑種」）。これを語源するのが英語の「ハイブリッド（hybrid）」で、生きものの雑種を意味する言葉です[※9]。

　マガモとアヒルのあいだに生まれる「アイガモ（合鴨）」も亜種間雑種です[※10]。アイガモの体の大きさはマガモとアヒルの中間くらいで、味はマガモに近いものの、肉の量が少ないため食肉用にはほとんど飼育されていません。アイガモの名前がよく知られているのは、「合鴨農法」に使われるからでしょう。春にアイガモの雛（図3-6）を買ってきて水田に放つと、雑草や害虫を食べながら成長するので、無農薬でイネを育てられます[※11]。なぜ、アイガモが使われるのかというと、アヒルと同じく飛べないからです[※12]。しかも、アヒルより体が小さく成長も遅いので、水田を行き来してもイネを倒しにくいというメリットがあります。ただし、秋になると実った米を食べてしまうので、その前に食肉にされるのが一般的です[※13]。

　食肉業界では、アヒルに比べて小さいアイガモを育てるメリットが

ナバチの仲間を駆逐しつつある。とくに、オオマルハナバチやエゾオオマルハナバチとのあいだでは、交尾も行われている（ただし雑種は生まれない）。

ないので、「合鴨」や「鴨肉」として流通しているものの実態は「アヒル（家鴨）」の肉です。日本で流通している鴨肉のおよそ8割はチェリバレー品種のアヒルで、これは北京ダック品種をイギリスのチェリバレー社で改良したもの。アヒルもマガモも同じ種なので、このチェリバレー品種の肉を「鴨肉」と呼んでも差し支えないと思いますが、「合鴨」ではないような気がします。

　ちなみに、カモ科では野生下でも種間雑種がたまに見られます。マガモとカルガモ[14]、マガモとオナガガモ、マガモとトモエガモ、ヒドリガモとアメリカヒドリ、ホシハジロとキンクロハジロなどです。カモは飛べる鳥のなかではめずらしく、オスに「外部生殖器（ファルス）」があります。メスが嫌がっても無理やり交尾をすることができるので、ほかの鳥よりも雑種ができやすいのかもしれません。

● **イヌ属の雑種**

　亜種間雑種は、オオカミ（タイリクオオカミ）（**図3-7**）とイヌのあいだにも見られます。イヌはオオカミを家畜化したものなので、オオカミの亜種扱いです。そのため、オオカミとイヌのあいだに生まれた子は亜種間雑種となり、「狼犬」や「ウルフドッグ（wolfdog）」などと呼ばれます。

　また、オーストラリアのディンゴは、数千年前に移住してきたアボリジニが持ち込んだイヌの子孫です。でも、数千年ものあいだオーストラリアで隔離されていたディンゴと、そのほかのイヌは別の亜種とされるので、

図3-7　オオカミ

memo

タコイカは、イカの胴体に、8本の腕を持つため、イカとタコのキメラのよう見える。しかし、じつはイカの仲間で、若いときには10本の腕があり、成長

ディンゴとイヌのあいだの子も亜種間雑種となります。とはいえ、18世紀以降にヨーロッパ移民の持ち込んだイヌとのあいだで交雑が進んでいるため、数千年前から続く純粋な血統のディンゴは、ほぼ存在しないような状況です。

さらに、イヌは人間とともに世界中に分布を広げているため、各地のイヌ属（Canis）とのあいだに雑種が生まれることがあります。オオカミ（イヌ）、コヨーテ、キンイロジャッカル、アビシニアジャッカルの4種は、お互いに生殖能力を持つ子孫を残すことが可能です[15]。

前にもお話ししましたが、家畜の品種は生物学上の分類群ではありません。異なる犬種を交配させて生まれたものを「雑種（ミックス）」と呼ぶこともありますが、分類学的には純粋なイヌです。ただし、イヌやウマの場合は品種による体格差が非常に大きいため、大型品種と小型品種のペアでは受精するのに問題がなくとも、交尾や出産は困難になります。

※1　ただし、中国語でラバは「馬騾（マールオ）」。
※2　ゼブロイドは総称。オスのシマウマ（zebra）とメスのウマ（horse）との雑種はゾース（zorse）、オスのシマウマ（zebra）とメスのロバ（donkey）との雑種はゾンキー（zonkey）やジードンク（zeedonk）と呼ばれる。
※3　シマウマの仲間（シマウマ亜属）には、サバンナシマウマ、グレビーシマウマ、ヤマシマウマの3種がいる。
※4　これは近畿大学水産研究所における名称。同じ組み合わせの魚をイヨスイ株式会社は、タマクエという名前で商標登録している。
※5　タマカイはハタ科最大の魚で、全長2mを超える。クエは全長1mほど。
※6　どちらもブリ属（Seriola）。
※7　実際に、クエタマ（タマクエ）は養殖場から逃げ出している。少なくとも、クエタマのオスとクエのメスのあいだでは受精卵ができるため、逃げ出した個体と野生個体とのあいだで交雑が進む可能性もある。
※8　イノシシはブタの原種。日本に生息するニホンイノシシやリュウキュウイノシシはイノシシの亜種。
　　Sus scrofa　イノシシ

とともに2本の触腕が消失する。タコイカ属には、マッコウクジラの胃の中から発見された標本を元に記載されたマッコウタコイカという種もいる。

   Sus scrofa domesticus ブタ

   Sus scrofa leucomystax ニホンイノシシ

   Sus scrofa riukiuanus リュウキュウイノシシ

※9 英語では以下のように使われる。

   Panthera hybrid ヒョウ属同士の雑種

   Felid hybrid ネコ科同士の雑種

   Equid hybrid ウマ科同士の雑種

   Canid hybrid イヌ科同士の雑種

   dingo–dog hybrid ディンゴとイヌの雑種

   jackal–dog hybrid ジャッカルとイヌの雑種

※10 マガモはアヒルの原種。

   Anas platyrhynchos マガモ（種）

   Anas platyrhynchos platyrhynchos マガモ（日本にも飛来する基亜種）

   Anas platyrhynchos domesticus アヒル

※11 ただし、水田を電気柵で覆わなければ、アイガモが歩いて逃走したり、キツネなどに襲われたりするため、管理に手間がかかる。

※12 野生のマガモは飛べるが、家禽のアヒルは飛べないように改良されてきた。アヒルほどではないが、アイガモも翼が小さく体が重いのでほぼ飛べない。

※13 卵を生むまで育てると手間も餌代もかかるので、夏の終わりには屠殺され、翌春に飼育業者から雛を買う。合鴨農法で使われたアイガモは、肉の量が少なく商品価値が低いため、市場に出回ることはほとんどない。

※14 アヒルとカルガモ、アイガモとカルガモの雑種をふくむ。

※15 以下の4種（および2亜種）はすべてイヌ属。そのほかの種をイヌ属に入れることもある。

   Canis lupus オオカミ（タイリクオオカミ）

   Canis lupus familiaris イヌ（オオカミの亜種）

   Canis lupus dingo ディンゴ（オオカミの亜種）

   Canis latrans コヨーテ

   Canis aureus キンイロジャッカル

   Canis simensis アビシニアジャッカル

雑種の学名

● 雑種を表す雑種式

　雑種はもちろん独立した種ではありませんが、学名を使って表すことは可能です。たとえば、北極圏で自然交雑が確認されているヒグマ（**図3-8**）とホッキョクグマ（**図3-9**）の雑種[1]は、以下のようになります[2]。

Ursus arctos × *Ursus maritimus*　ヒグマ × ホッキョクグマ

　「×」は「かける（乗算記号）」で、「x（エックス）」ではありません。また、両親の性別を明確にしたければ、以下のように表すこともできます。

Ursus arctos ♂ × *Ursus maritimus* ♀
　ヒグマ（オス）× ホッキョクグマ（メス）
Ursus maritimus ♂ × *Ursus arctos* ♀
　ホッキョクグマ（オス）× ヒグマ（メス）

図3-8　ヒグマ

図3-9　ホッキョクグマ

植物には自然環境下で雑種が生じることもあり、そうした雑種にも学名や和名がつけられることがある。

こうしたものは「雑種式」といい、学名とは違います。動物の場合は、明らかな雑種に学名がつけられることはありません[※3]。

●ソメイヨシノも雑種

一方、植物の場合は、雑種であっても学名が記載されることがあります。たとえば、以下はサクラ属（*Cerasus*）のソメイヨシノの学名です。

Cerasus × *yedoensis*　ソメイヨシノ

これは、先ほどの雑種式とは異なり、「*Cerasus*」と「*yedoensis*」のあいだの雑種という意味ではありません。雑種式まで示すと、以下のようになります。

Cerasus itosakura × *Cerasus speciosa* = *Cerasus* × *yedoensis*
　エドヒガン × オオシマザクラ＝ソメイヨシノ

つまり、ソメイヨシノはエドヒガンとオオシマザクラとのあいだの雑種であり、*Cerasus* × *yedoensis* というのはソメイヨシノ固有の学名です。そして、種小名の前に「×」をつけることで、種間雑種だということを示しています[※4]。

ちなみに、種間雑種であるソメイヨシノには、以下のような栽培品種があります。

Cerasus × *yedoensis* ‘Somei-yoshino’
　ソメイヨシノの栽培品種‘染井吉野’
Cerasus × *yedoensis* ‘Sakuyahime’
　ソメイヨシノの栽培品種‘咲耶姫’

---
memo

2020年12月に記載されたシバヤナギ（*Salix japonica*）とオノエヤナギ（*S. sachalinensis*）の自然交雑種には、シバオノエヤナギ（*S.* × *tamagawaensis*）

Cerasus × *yedoensis* 'Akebono'

ソメイヨシノの栽培品種'アメリカ'[※5]

　通常はソメイヨシノといえば、上記の栽培品種'染井吉野'を指します。日本中に植えられているので、サクラといえば'染井吉野'を思い浮かべる方が多いでしょう。この栽培品種は、母（種子親）をエドヒガン、父（花粉親）をオオシマザクラとする雑種の中から、たった1本だけ選抜された特別なソメイヨシノです。その木から、挿し木や接ぎ木[※6]でクローンがつくられ、まったく同じ遺伝子を持つ木が全国に植えられています。

　'染井吉野'の花（めしべ）は、ほかの'染井吉野'の花粉で受粉しても、同一個体（クローン）同士なので種子をつくりません[※7]。そのため、挿し木や接ぎ木で増やされるのですが、ほかのサクラ属（*Cerasus*）の花粉で受粉すると種子をつくります。ソメイヨシノの栽培品種である'咲耶姫'や'アメリカ'は、そのような種子を発芽させて育てた「実生苗」から選抜されたものです。

※1　ヒグマとホッキョクグマの雑種（grizzly–polar bear hybrid）は、それぞれの名前の前後をくっつけて、「pizzly bear」「grolar bear」「polizzly」などと呼ばれる。また、ヒグマはアメリカクロクマおよびツキノワグマとのあいだにも雑種が生まれた例がある。

※2　動物の場合、父と母のどちらを先に書くかルールはないが、父を先に書くことが多い。植物の場合は、「アルファベット順に並べるのが望ましい」と規約にはあるが、慣例上は「母（種子親）を先、父（花粉親）を後」に書く。

※3　オオカミとコヨーテの種間雑種という説のあるアメリカアカオオカミ（*Canis rufus*）にも学名はある。ただし、独立種あるいはオオカミの亜種という説もあり、雑種につけられた学名ではない。

※4　種間雑種の場合は種小名の前に「×」をつけるが、属間雑種の場合は属名の前に「×」をつける。ヒガンバナ科の属間雑種「アマルクリヌム・

という名がつけられた。この学名は、東京都羽村市の多摩川沿いで見つかったことに由来する。

メモリアコルシー」の雑種式および学名は、以下のようになる。

Amaryllis belladonna × *Crinum moorei*

= × *Amarcrinum memoria-corsii*

ホンアマリリス × モモイロハマオモト

=アマルクリヌム・メモリアコルシー

※5 アメリカの農園で作出された園芸品種で、英名は'Akebono'。ただし、日本にはすでに'曙'という園芸品種が存在したため、日本における園芸品種名は'アメリカ'になった。

※6 切った枝をそのまま土に挿し、その枝から根が生えて育つのが「挿し木」。切った枝を土台となる台木に接いで、台木の根を利用して育つのが「接ぎ木」。

※7 サクラ属（*Cerasus*）には「自家不和合性」という性質があり、花粉とめしべの遺伝子がまったく同じ場合、受粉が成立しない。

(mini コラム) **あり得ない！**
イヌとパンパスギツネの雑種

　オオカミには、ハイイロオオカミやタイリクオオカミという別名があり、ニホンオオカミ、シベリアオオカミ、シンリンオオカミなど多くの亜種が知られています。ところが、同じ「〇〇オオカミ」という名前でも、南アメリカのタテガミオオカミとフォークランドオオカミは、オオカミと分類学的にかなり離れています。これは「〇〇キツネ」においても同様で、北半球のアカギツネやホッキョクギツネと、南アメリカのパンパスギツネやクルペオギツネは、かなり縁遠いグループです。

　ところが2023年、オオカミの亜種であるイヌと、南アメリカのパンパスギツネのあいだに、雑種が生まれていたことが発表されました（ただし2023年3月に死亡）。この個体は「dog（イヌ）」と「graxaim（ポルトガル語でパンパスギツネ）」の雑種であることから、「dogxim（ドッグシム）」と呼ばれます。

　オオカミとパンパスギツネは同じイヌ科ではあるけれど、およそ670万年前に共通の祖先から分かれた遠い親戚です。そのため、「ヒトとチンパンジーとのあいだに生存能力のある雑種が生まれたようなもの」と表現する研究者もいるほど、雑種が生まれたのは驚くべきことなのです。

差別的な言葉と生きものの名前

消えつつある差別用語

● ハゲ、チビ、デブ、バカ

みなさんは、20世紀末に活躍した「亀有ブラザーズ」[1]というバンドをご存知でしょうか。かれらは深夜のテレビ番組を中心に、いささか下品な替え歌で人気を博していました。そんなかれらの曲に、『君たちハゲ・チビ・デブ・バカだね。』[2]というものがあります。こうした差別的なニュアンスをふくむ言葉は、現在のテレビから消えつつありますが、平成の初期にはまだ当たり前に使われていました[3]。

差別的な言葉がテレビから消えつつあるのは、企業コンプライアンスによるものですね。スポンサー料で番組をつくるテレビ局にとって、（スポンサーにとっての顧客である）視聴者が不快に思う言葉は使うべきではありません。そして、現在は視聴者の否定的な声が届きやすくなったので、テレビ番組で使用できる言葉は、さらに制限されていくことでしょう。

このような風潮は、生きものの名前にも影響を与えつつあります。じつは、先ほどの曲名に出てきた「ハゲ」「チビ」「デブ」「バカ」というのは、生きものの和名にも使われている言葉です。

ハゲ

ハゲウアカリ、ハゲガオサキ、ハゲワシ、ハゲコウ（口絵3-2）、ハゲインコ、ハゲチメドリ、ハゲカジカ、ハゲギギ（ギギ（図3-10））

memo

キク科のハルジオンにはビンボウグサという別名がある。この草は繁殖力が強く、「貧乏で手入れの行き届かない家の庭に生えがち」ということらしい。

図3-10　ハゲギギ（ギギ）

チビ

チビシマリス、チビコメネズミ、チビトガリネズミ、チビキミミコウモリ、チビクモヒトデ、チビミズムシ、チビナガヒラタムシ、チビゲンゴロウ、チビクワガタ、チビコブスジコガネ、チビホコリタケ、チビウキクサ

デブ

デブスナネズミ、ウスイロデブスナネズミ

バカ

バカドリ（アホウドリ）、バカザメ（ウバザメ）、バカジャコ（リュウキュウキビナゴ）、バカイカ（アカイカ）、バカガイ、バカマツタケ、バカナス（イヌホオズキ）、バカニンジン（クソニンジン）

　「ハゲ」は頭部の体毛や羽毛が薄かったり、突起がなくなめらかだったりするものに採用されています。ハゲワシやハゲコウなど、腐肉に頭を突っ込んで食べるものは、禿げているほうが頭部を清潔に保てるため有利です。ハゲインコも高脂肪の果実に頭を突っ込んで食べるので、ほぼ同じ理由で禿げています。

　また、ホロホロチョウ亜科の鳥も頭が禿げており、鮮やかな皮膚の色で異性にアピールします。そんな禿げたグループなのに、フサホロホロチョウ（図3-11）という名前の鳥もいますが、フサフサなのは頭部ではなく、首から胸部の羽毛です。一方、英名は「vulturine guineafowl

（ハゲワシみたいなホロ
ホロチョウ）」といい、
禿げた頭部に注目してい
ます。

　「チビ」については、
81ページの「小さいこ
との表し方」でも触れま
したが、近縁種よりも体
が小さい場合に使われる
表現ですね。

図3-11　フサホロホロチョウ

　「デブ」のみ採用例が極端に少ないのは、この言葉が明治時代以降
に使われるようになった比較的新しい言葉だからでしょう※4。近縁
種よりも太いことを表す場合には、フトコメネズミ、フトアゴヒゲト
カゲ、フトミミズ、フトカマドウマのように、「フト」を使うのが一
般的です。それなのに、デブスナネズミ属の2種に「デブ」が採用さ
れたのは、単に近縁種よりも太いからではなく、肥満しやすいことと
関係があります。

　飼育下のデブスナネズミは種子やペレットも食べますが、野生下で
はヒユ科の草しか食べません。そのため、ほかのネズミに与えるよう
な栄養価の高い餌を食べると急激に太り、糖尿病を発症しやすいとい
う特徴があります。つまり、めちゃくちゃ太りやすい体質だから英名
が「fat sand rat」になり、それを直訳して和名もデブスナネズミになっ
たというわけです。ちなみに、デブスナネズミ属に近縁のスナネズミ
属には、フトスナネズミという種もいます。

　「バカ」がつく名前は別名が多いですね。バカドリはアホウドリの
別名ですが、どちらにせよ同じ意味。人間に対する警戒心が薄く、巨
体ゆえに飛び立つまで時間がかかることから、「簡単に捕まる馬鹿な
鳥」というのが名前の由来です。一部の人たちはこの名前を侮蔑的だ

目のイワシとは縁遠いハダカイワシ目に分類され、チビハダカ、コビトハダカ、
ハゲクロハダカ、ブタハダカ、オトメハダカ、キララハダカなどの種がいる。

として、地方名である「オキノタユウ」に変えようと声を上げていますが、なかなか変わる気配はありません。

　ちなみに、アホウドリの英名は「albatross」です。ゴルフでは、コースごとの規定打数「パー（標準）」より1打少ない「バーディー（小鳥）」、2打少ない「イーグル（ワシ）」よりさらにすごい、3打以上少ない場合に「アルバトロス（アホウドリ）」となります。これは、アホウドリの飛翔力の高さに由来したネーミングで、和名のイメージからはかけ離れたものです。また、アホウドリの中でも最大となるワタリアホウドリは、左右の翼を広げると3.63mにも達し、世界最長の翼を持つ鳥として『ギネス世界記録』にも掲載されています。

　バカガイは「アオヤギ」という商品名で流通していますが、アオヤギは種名ではありません。これは貝殻を除いた可食部のみの名称で、江戸時代の寿司職人が「バカ」という名称を嫌ってつけたのだそうです。ちなみにアオヤギというのは、バカガイの産地の1つだった千葉県の青柳海岸に由来します。

　バカマツタケというのは、形や香りがマツタケ（**図3-12**）によく似たキノコです。香りはマツタケ以上ともいわれ、人工栽培の研究も進められています。なのに、なぜ「バカ」なのかというと、マツタケは秋にアカマツ林で見られるのに、バカマツタケは晩夏に雑木林で見られるため、季節や場所を間違えたバカなマツタケだと思われたからで

図3-12　マツタケ

す。ちなみに、マツタケもバカマツタケも、種小名が和名のアルファベット表記という、わりとレアな学名がつけられています。同属にはニセマツタケとマツタケモドキという見た目がよく似たキノコも存在しますが、これら2種は食用にはなるもの

memo

コビトハツカネズミは世界最小のネズミで、体重は5gくらいしかない。ペットとして流通するためさまざまな別名を持つが、アフリカチビネズミ、アフリ

の、ほとんど香りはありません。

マツタケ	*Tricholoma matsutake*
バカマツタケ	*Tricholoma bakamatsutake*
ニセマツタケ	*Tricholoma fulvocastaneum*
マツタケモドキ	*Tricholoma robustum*

　こうした和名を差別的だと感じる人もいるかもしれませんが、生きものの名前に組み込む修飾語としては、短い言葉で特徴を表せるため便利です。昔は差別に対する感度も鈍かったので、命名者はとくに差別の意図なくこれらの言葉を使ったのでしょう。

●いろいろなコビト

　ハゲとチビは、漢字で書くと「禿げ」「禿び」と同じ漢字で表すことができます。「禿」の字は、「禾（アワやイネの穂）」を「儿（人）」が収穫するイメージなので、そこから「頭の先の毛を収穫 → ハゲ」「先端を切られて短くなる → チビ」という意味が生まれたのでしょう。

　チビと似た言葉に、「コビト（小人）」があります。こちらも、テレビではほとんど使われなくなった言葉ですね。でも、81ページの「小さいことの表し方」で紹介したように、生きものの名前にはかなり使われています。ただし、一部の施設ではコビトカバ（口絵3-3）を「ミニカバ」という名前で展示しているように、「コビト」に対してネガティブなイメージを持つ人は少なくないようです。

　そもそも、ヒトじゃないものを「小人」と呼ぶのもおかしな話ですが、その多くは英名を直訳したものです。そして、元となった言葉には、大きく分けて「ドワーフ（dwarf）」と「ピグミー（pygmy）」があります。

カコビトネズミ、アフリカンドワーフマウス、アフリカンピグミーマウスなど、どの名前でも「ハイティズム（身長差別）」からは逃れられない。

ドワーフ由来

コビトキツネザル、コビトガラゴ、コビトマングース（図1-17）、アメリカコビトリス、コビトフチア、コビトジムヌラ、コビトジャコウジカ、コビトマイコドリ、コビトカワセミ、ニシアフリカコビトワニ、コビトカイマン、コビトアダー、コビトカメレオンなど

ピグミー由来

コビトカバ、コビトイノシシ、コビトハツカネズミ、コビトジャコウネズミ、コビトモモンガ、コビトリングテイル、コビトハヤブサ、コビトウ、コビトモリチメドリ、コビトセワタビタキ、ツラナガコビトザメ、コビトオオベソマイマイ、コビトウミアサガイなど

その他（和名独自表現、ミゼット由来など）

コビトアレチネズミ、コビトペンギン、コビトドリ、コビトスズメダイ、コビトチビコハナバチ、コビトウラウズガイなど

　ネザーランドドワーフ（カイウサギ）やドワーフハムスター、ドワーフアイリス（アヤメ）など、家畜や園芸植物の品種にもよく使われる「ドワーフ」は、北欧神話に登場する妖精「ドヴェルグ」に由来します。『指輪物語』※5以降のファンタジー作品では、低身長だが力は強く、鍛冶や工芸が得意とされることが多い種族ですね。実在する人類集団を指す言葉ではないため差別的なニュアンスは弱めですが、近年は『白雪姫』に登場する「7人の小人（ドワーフ）」を「7人の妖精」と言い換えることもあるなど、使用に注意を要する言葉になりつつあります。

　もう一方のピグミーは、ピグミーマーモセットやピグミーツパイ、ピグミーシーホースなど、そのまま和名に使われることも少なくありません。こちらは大元をたどれば、ギリシャ神話に登場する小人族「ピュグマイオイ」に由来するものです。ただしそれが転じて、アフ

リカの先住民のうち、成人男性の平均身長が150cm以下の諸民族を表す総称としても使われます※6。そのため、ドワーフよりもさらに注意を要する言葉です。

アフリカの諸民族の名称には、ほかにも注意を要する言葉があります。なかでも有名なのが、「ブッシュマン」と「ホッテントット」です。これらの名称には差別的なニュアンスをふくむとされ、日本でも1990年代から言い換えが進んでいます※7。ただし、いまでも生きものの名前では現役です。

ブッシュマンウサギ（Bushman rabbit）
　Bunolagus monticularis
ブッシュマンアローポイズンビートル（Bushman arrow-poison beetle）
　Diamphidia nigroornata
ホッテントットキンモグラ（Hottentot golden mole）
　Amblysomus hottentotus
ホッテントットイチジク（Hottentot fig）
　Carpobrotus edulis

● ピグミーチンパンジーは差別的か

17 ～ 18世紀のヨーロッパでは、伝承上の小人族「ピグミー」の正体を、サル（とくに類人猿）だと考える人たちがいました。たとえば、1699年に『オランウータンまたは森の人：サル、類人猿、ヒトと、ピグミーの比較解剖学』※8を出版したタイソン※9は、チンパンジーのことを「ピグミー」と呼んでいます。また、体の大きなボルネオオランウータン（**図3-2**）に、「*pygmaeus*」という種小名がつけられているのもその名残です。

Pongo pygmaeus（Linnaeus, 1760）　ボルネオオランウータン

ものとして「馬糞」を冠することになった。これらの鳥はクソトビとも呼ばれるが、トビ自体もおもに死肉を食べるため、鷹狩りには使えない。

現在はボノボとしておなじみの類人猿も、かつては標準和名がピグミーチンパンジーでした[10]。30年くらい前に改訂された図鑑[11]をめくってみると、見出しは「ピグミーチンパンジー」で、解説文には「チンパンジーとは別の種とも考えられ、ボノーボという別名があります」と記されていました。しかし、近年発行の図鑑においては、種名を「ボノボ（ピグミーチンパンジー）」とすることが多くなっています。

　ただし、ピグミーチンパンジーという名前が使われなくなったのは、「ピグミー」に差別的なニュアンスがふくまれることとは関係がないようです。初めてボノボの標本が採集され箱詰めされたのは、ベルギー領コンゴ（現在のコンゴ民主共和国）の「ボロボ（Bolobo）」という町でした。そのとき梱包した箱に、町の名前のスペルを間違えて「ボノボ（Bonobo）」と書かれていたのが種名の由来だそうです。

　ちなみに、シュヴァルツ[12]はこの標本をもとに、ボノボをチンパンジーの亜種として1929年に記載しています。また、「ピグミーチンパンジー（pygmy chimpanzee）」という一般名を与えたのもシュヴァルツです。

Pan paniscus Schwartz, 1929　ピグミーチンパンジー
　　　　　※当時は、チンパンジーの亜種（_P. s. paniscus_）として記載。

　その後、1933年にクーリッジ[13]が、ピグミーチンパンジーを独立種とする論文を発表しています。さらに1954年、トラッツ[14]は、「これからはピグミーチンパンジーをボノボと呼ぼうぜ！」と言い出します。おそらく、チンパンジーとは別種であることを強調するため、種名から「チンパンジー」を除きたかったのでしょう。しかし、なぜこの動物を、「標本を梱包した町」の名前で呼ぼうとしたのか、そこは謎です。

　ちなみに、ボノボはチンパンジーと比べて、明らかに体長が小さい

memo
サシバは翳という柄の長い扇の材料に羽が使われたことから、ノスリは野を擦るような低空飛行で狩りをすることから、その名がある。

というわけではありません[15]。ボノボは手足が細長く、やせて見えるので、むしろスレンダーチンパンジーといったイメージですね。インドとスリランカには、やはり手足の細長いスレンダーロリスというサルもいますが[16]、「スレンダー」はどちらかというと良い意味で使われる言葉なので、今後も差別語認定されることはなさそうです。

[1]　ビートたけし、ガダルカナルタカ、つまみ枝豆、グレート義太夫を中心とする替え歌バンド。『北野ファンクラブ』(1991～1996年／フジテレビ)の企画で誕生した。

[2]　原曲は、中原めいこの『君たちキウイ・パパイア・マンゴーだね。』。

[3]　ただし、この曲は亀有ブラザーズの中では当たり障りのないほうで、視聴者からの苦情が殺到した曲もあった。

[4]　デブの語源には諸説あるが、太っていることを表す副詞「でっぷり」を名詞化したものではないかと思われる。

[5]　J・R・R・トールキン作のファンタジー小説。『ロード・オブ・ザ・リング』のタイトルで映画化もされた。

[6]　ピグミー族という民族は存在せず、これらの諸民族は低身長という共通点があるのみ。しかも、遺伝的に近いグループではない。ピグミーの多くは中央アフリカの熱帯林に居住しているため、そのような環境では体温の放散や狭所移動などの面で、低身長であることが有利だった可能性がある。また、熱帯林では日差しが遮られるため、ビタミンDが欠乏して骨格が小さくなるという説もある。

[7]　ブッシュマンは「サン人 (San)」、ホッテントットは「コイコイ人 (Khoikhoi)」と言い換えることが多い。1982年に日本で公開された、サン人が主人公の映画のタイトルは、『ミラクル・ワールドブッシュマン』(DVD版のタイトルは『コイサンマン』)だった。しかし、1989年に公開された続編では、「文部省の方針に準じ」という注釈つきで、タイトルを『コイサンマン』(DVD版のタイトルは『コイサンマン2』)としている。「コイサンマン (Khoisan)」というのは、「サン人」と「コイコイ人」の総称だが、この名称すら時代遅れだとして現在はほとんど使われていない。

[8]　原題は『Orang-outang, sive homo sylvestris: or, The anatomy of a pygmie compared with that of a monkey, an ape, and a man』。

memo

ハムシ科のムシクソハムシは、幼虫も成虫もイモムシの糞によく似ている。そのため、葉にくっついてじっとしていれば、鳥に狙われにくい。

※9　エドワード・タイソンはイギリスの解剖学者。

※10　1988年発行の『世界哺乳類和名辞典』（平凡社）では、和名をピグミーチンパンジーとしており、ボノボは別名としても載っていない。ただし、英語およびドイツ語の別名として「bonobo」が掲載されている。

※11　1972年初版、1993年改訂版発行の『動物の図鑑 Wide color 改訂版』（小学館）。

※12　エルンスト・シュヴァルツはドイツの動物学者。

※13　ハロルド・クーリッジはアメリカの解剖学者。

※14　エドゥアルト・ポール・トラッツはオーストリアの動物学者。

※15　チンパンジーは体長74〜96cm、ボノボは体長70〜83cm。チンパンジーの大型個体はボノボより明らかに大きいが、平均的な個体はあまり変わらない。ただし、シュヴァルツが記載時に注目した頭骨は、ボノボのほうが小さい。

※16　「スレンダー（slender）」は、ほっそりとした体型を表す形容詞。スレンダーロリス属の2種（ハイイロスレンダーロリス、アカスレンダーロリス）は、スローロリス属よりも手足が細長く、かつてはホソロリス（ハイイロホソロリス、アカホソロリス）と呼ばれていた。

(mini コラム) **ダチュラには2種類ある？**

　ダチュラと呼ばれる植物には、チョウセンアサガオ属（*Datura*、図3-15）とキダチチョウセンアサガオ属（*Brugmansia*）があります。どちらもラッパ型の大きな花をつける有毒植物で、かつては同属とされていましたが、現在はキダチチョウセンアサガオ属を別属とするのが一般的です。

　両者の違いとしては、チョウセンアサガオ属は一年草または多年草で、花は上向きに開きます。一方、キダチチョウセンアサガオ属は、茎が木質化することから「木立ち」と呼ばれ、花は下向きに開きます。

　ちなみに、アサガオはヒルガオ科ですが、チョウセンアサガオはナス科と、近縁ではありません。また、朝鮮半島原産ではなく、渡来植物であることから「朝鮮」と表現されたようです。

キダチチョウセンアサガオ

変わる標準和名

● 日本魚類学会の試み

　各マスコミでは、独自基準で差別語を定義し、その使用を自主規制しています。しかし、いままで見てきたように、生きものの名前には差別語の使用を制限するルールは存在しませんでした。ところが2007年、日本魚類学会は「差別的語をふくむ魚類の標準和名を改名すべきである」という発表を行っています。その「差別的語」とは、「メクラ」「オシ」「バカ」「テナシ」「アシナシ」「セムシ」「セッパリ」「ミツクチ」「イザリ」の9語です。

差別的語とされたもの

メクラ（盲）→ 目が見えないこと

オシ（唖）→ 口がきけないこと

バカ（馬鹿）→ 知能が劣ること

テナシ（手無し）→ 上肢が欠損していること

アシナシ（脚無し）→ 下肢が欠損していること

セムシ（傴僂）
　→ 背中の胸椎と腰椎の移行部がこぶ状に盛り上がっていること

セッパリ（背張り）
　→ 背中が曲がって張り出ていること（セムシとほぼ同じ）

ミツクチ（三つ口）
　→ 上唇の中央が縦に裂けていること（口唇口蓋裂）

イザリ（躄）→ 足が不自由で立てないこと

改名の例

メクラウナギ綱・目・科 → ヌタウナギ綱・目・科（口絵3-4）

memo

ボロカサゴはフサカサゴ科の海水魚。体表に多数ある突起で海藻に擬態しているが、それをボロボロの衣装をまとった姿に見立てたもの。

オシザメ → チヒロザメ

バカジャコ

　→ リュウキュウキビナゴ

テナシハダカ

　→ ヒレナシトンガリハダカ

アシナシゲンゲ → ヤワラゲンゲ

セムシウナギ → ヤバネウナギ

セッパリハギ → セダカカワハギ

ミツクチゲンゲ → ウサゲンゲ

イザリウオ → カエルアンコウ（図3-13）

図3-13　旧称イザリウオの仲間
　　　　（イロカエルアンコウ）

　このような改名が行われると、急に耳慣れない名前が登場し、とまどう人も多いでしょう。とくにイザリウオからカエルアンコウへの変更は、水族館でもよく飼育されている魚なので影響が大きかったと思います。とはいえ、改名から15年以上が経過したいまでは、新しい名前に慣れてしまった人が多いのではないでしょうか。

　このように、分類群レベルで改名を進めているのは、日本魚類学会くらいのものです。標準和名の変更にあたっては、魚類や哺乳類などの分類群ごとに「標準和名検討委員会」のようなものがあり、そこで議論されます。そのため、生きものの分類群によって、差別語に対する扱いや、標準和名を変更することの是非について、考え方は異なるのです。

●地名すらも差別的？

　世の中には、地名ですら差別的だと考える人がいます。たとえば、中国を意味する「支那」や、北朝鮮と韓国を包括した「朝鮮」などがそうです。支那とは「秦」に由来し、英名の「China」と同源、朝鮮は「李氏朝鮮」に由来するので、本来はまったく差別的な言葉ではあ

memo

もともとメクラウナギ綱メクラウナギ目メクラウナギ科は、メクラウナギ亜科とヌタウナギ亜科に分かれていた。つまり、亜科より下位の分類群には以前か

りません。しかし、これらの地域が差別的に扱われていた時代の呼称であるとして、不快に思う方は少なくないようです。

　ただし、「支那」も「朝鮮」も、生きものの世界ではまだまだ現役です。とくに、戦前につけられた和名には、生息地を表すため数多くの種に採用されていました。

シナ

シナモグラネズミ	シナビロードネズミ
シナハタネズミ	シナシロハラネズミ
シナクリゲネズミ	シナノウサギ
シナジムヌラ	シナヒミズ
シナキクガシラコウモリ	シナホオヒゲコウモリ
シナアブラコウモリ	シナイタチアナグマ
シナウスイロイルカ	シナヒメヒラタカメムシ
シナハマダラカ	シナイナゴ
シナクロホシカイガラムシ	シナハナムグリ
シナクスモドキ	シナミズニラ
シナヤブコウジ	シナヤマツツジ

チョウセン

チョウセンノウサギ	チョウセンウグイス
チョウセンメジロ	チョウセンスズガエル
チョウセンヤマアカガエル	チョウセンブナ
チョウセンバカマ	チョウセンアカシジミ
チョウセンマメハンミョウ	チョウセンカマキリ（図3-14）
チョウセンクロコガネ	チョウセンヒラタクワガタ
チョウセンクロバエ	チョウセンヤブカ
エセチョウセンヤブカ	チョウセンケナガニイニイ

ら「ヌタウナギ」という名称が存在するので、メクラウナギ（亜科・属・種）はホソヌタウナギ（亜科・属・種）に改名されている。

図3-14　チョウセンカマキリ

図3-15　アメリカチョウセンアサガオ

チョウセンガリヤス	チョウセンキハギ
チョウセンアサガオ（**図3-15**）	チョウセンキバナアツモリソウ
チョウセンキンミズヒキ	チョウセンゴミシ
チョウセンゴヨウ	チョウセンスイラン
チョウセンタチイチゴツナギ	チョウセンナニワズ
チョウセンヨメナ	チョウセンヨモギ

　近年は、新しく和名がつけられる場合に、シナではなくチュウゴクを使う例も見られます。また、チョウセンではなくコウライ[※1]を使った和名も、植物においては以前から見られました。

チュウゴク

チュウゴクナキウサギ	チュウゴクカモシカ
チュウゴクゴーラル	チュウゴクムササビ
チュウゴクヤマネ	チュウゴクオナガコバチ

コウライ

コウライイヌワラビ	コウライコモチマンネングサ
コウライシバ	コウライスズムシソウ
コウライテンナンショウ	コウライヒトツバヨモギ

memo

爬虫類のメクラヘビは、ヘビの3大グループ（メクラヘビ上科、ムカシヘビ上科、ナミヘビ上科）のうちの1つ。メクラヘビ上科には500種以上がふくまれ、日

現状ではまだ、種名における「シナ」や「チョウセン」に対して、全面的な言い換えが行われる気配はなさそうです。しかし、なかには和名が変わりつつあるものも出てきています。

　　シナヘラチョウザメ　→ ハシナガチョウザメ
　　シナモクズガニ　　　→ チュウゴクモクズガニ
　　シナワスレナグサ　　→ シノグロッサム
　　チョウセンアサガオ → ダチュラ
　　チョウセンニンジン → コウライニンジン
　　チョウセンカマキリ → カマキリ
　　チョウセンイタチ　　→ シベリアイタチ

　ハシナガチョウザメは中国の河川に生息していた、世界最大級の淡水魚です。ヘラチョウザメ科の現生種は中国のシナヘラチョウザメ（Chinese paddlefish）と北アメリカのヘラチョウザメ（American paddlefish）の2種のみでしたが、シナヘラチョウザメは21世紀に入ってから絶滅してしまいました。シナヘラチョウザメのほうが伝統的に使われてきた和名ですが、拙著『わけあって絶滅しました。』では新称のハシナガチョウザメのほうを採用しています。これは、編集者から「避けられるなら『シナ』は避けたい」というご意見をいただいたためです。

　チュウゴクモクズガニ（*Eriocheir sinensis*）は、食品業界で「上海蟹」と呼ばれるものです。日本にも同属のモクズガニ（*E. japonica*）（図3-16）が生息しており、食用にされます。この名称の変更は、中国との国交が正常化した1970年代以降に行われたものです。食品として流通させるにあたり、ネガティブな要素は少しでも減らしたかったのでしょう。

　シノグロッサム（*Cynoglossum*）やダチュラ（*Datura*）は、学名

本には外来種のブラーミニメクラヘビが定着している。

図3-16　モクズガニ（日本在来種）

のカタカナ読みです。なので、和名が変更されたわけではありません。じつは、園芸業界において、学名のカタカナ読みで流通させるのは普通のこと。これらの植物も、シナやチョウセンをつけるより意味のわからない学名のほうが、舶来の華やかなイメージを演出できるのだと思います。ちなみに、チョウセンアサガオには、マンダラゲやキチガイナスビという不穏な別名もありますが、これは幻覚作用のある薬草（毒草）であるためです[※2]。

オタネニンジンという植物は、食品（生薬）業界で長らく「朝鮮人参」と呼ばれてきました。しかし、近年は「朝鮮」を不快に思う方への配慮から、「高麗人参」と言い換えるようになっています。これも、食品としての価値を少しでも高めるためでしょうね。

少し前の図鑑では、カマキリを「チョウセンカマキリ（カマキリ）」と紹介していました。でもいまは、「カマキリ（チョウセンカマキリ）」と、チョウセンカマキリのほうが別名扱いになってきています。もともとこのカマキリは日本に生息しているので、なぜ和名に「チョウセン」がつけられたのかよくわかっていません[※3]。ただし、単に「カマキリ」だと種名なのか総称なのかわかりにくいため、近年はナミカマキリと呼ばれることもあります。

かつてはチョウセンイタチと呼ばれていた種も、現在は標準和名がシベリアイタチに変更されています。日本をふくむアジアに広く分布し、学名も「*Mustela sibirica*（シベリアのイタチ）」なので、妥当な変更でしょう。ただし、対馬から朝鮮半島に分布する亜種は、いまも「チョウセンイタチ（*M. s. coreana*）」と呼ばれます。

memo

中型のサメであるカスザメという名前の由来は、「利用価値のないカスのようなサメ」というもの。ただし英語では、大きな胸びれを広げた姿が天使のよう

いろいろ見てきましたが、支那や朝鮮という言葉は、東シナ海、インドシナ半島、朝鮮半島、朝鮮海峡など、いまも地名として使われているので、生きものの名前も全面的に言い換えられることはなさそうです。ただし、イメージを大切にする商品名などでは、これらの言葉が消えていくでしょう。

● 差別表現は言い換えるべきか

「差別は良くない」というのは当然ですが、「差別表現をふくむ和名の使用は良くない」かというと、そこは意見が分かれます。たとえば、魚類では改名が活発なのに対し、哺乳類や昆虫類ではあまり行われていません。その分類群にかかわる研究者の考えが、それぞれ異なるからです。

たとえば、以下のような主張をされている研究者がいます。

いわゆる差別表現とされている言葉を含む和名をまったく問題なく使うべきとする理由は、以下の3点である。
1　いわゆる差別表現を含む和名を使うことで、社会の差別は増悪しない、と確信を持つ。
2　それどころかその言葉を使いつづけることで、はじめて、私たち社会は差別の解消に真正面から取り組む健全な状態でいられると信じられる。
3　上記の裏返しとして、ある意味で機械的存在と思われる和名だからこそ、その「言い換え」は、社会を差別問題の思考停止に陥らせる、低次元の方策だと判断される。

機械的「言い換え」は、差別問題に対する学会の永久的な無関心を表現したものと、責任を追求されるべき問題なのである。

『差別表現問題と哺乳類の和名』（遠藤秀紀著）より抜粋

であるため「angel shark」と呼ばれる。ちなみに、「カス」は日本魚類学会でも改名を必要とする差別的語とはみなしていない。

その一方で、日本魚類学会では以下のような考えに基づき、標準和名の変更を行っているそうです。

　Q．改名の目的は何か？

　A．人権に対する配慮および差別的語を含む一部の標準和名における言い換えや言い控えによる混乱を収めることが目的です。こうした混乱は、水族館や博物館等での展示における表示だけの問題に止まらず、当該魚類を用いた教育の機会を失うことにつながります。

「差別的語を含む標準和名の改名に寄せられた
ご意見に対する考え方」（日本魚類学会）より抜粋

　改名の反対派と賛成派の意見ですが、この2つの意見は相反しているわけではありません。遠藤博士は、「差別表現とされるものの機械的な言い換えは、差別問題から逃げることになる」という主張です。一方、日本魚類学会は「すでに言い換えや展示の中止が水族館や博物館で起きている」という前提に立ち、「差別表現をふくむ標準和名を変更しなければ、（独自の名前で呼ばれたり、展示が避けられたりして）その魚を用いた教育の機会が失われる」と主張しています。

　日本魚類学会が前提とする「すでに言い換えや展示の中止が水族館や博物館で起きている」というのは、徳島県立博物館が2000年に行った「差別的生物名称の使用についてのアンケート」に基づくもの。回答のあった344の水族館、動物園、博物館のうち、のべ47施設において、差別的な名前の生きものがほかの名称へ言い換えられたり、展示が中止されたりしている実態が明らかにされたそうです。

● 英名や学名にもある差別表現

　英名においても、差別表現は使われています。たとえば、日本魚類

memo
　カメムシの仲間で最大の科であるメクラカメムシ科は、2000年にカスミカメムシ科に改称された。ただし、この改称について、差別問題には触れていない。

学会が差別的語とした「セムシ」は、英語に訳すと「ハンプバック（humpback）」または「ハンチバック（hunchback）」です[4]。『ノートルダムのせむし男』[5]の英題『The Hunchback of Notre Dame』でもおなじみですね。この言葉は、体長に比べて体高が高く、背が盛り上がって見える生きものの英名に使われています。

humpback whale　ザトウクジラ
humpback dolphin　ウスイロイルカ属（*Sousa*）の総称
humpback salmon　カラフトマス
barbed hunchback poacher　アツモリウオ
humpback red snapper　ヒメフエダイ
humpbacked fly　ノミバエ科（Phoridae）の総称
hunchback prawn　ホッコクエビ
humpback shrimp　トヤマエビ（ボタンエビ）

ザトウクジラは、ナガスクジラ科の中ではずんぐりした体つきで、体高が高めです。しかも、呼吸をしながら再び潜るときに、船の上から丸めた背中がよく見えるため、英名が「humpback」になったようです。

一方、日本では、ザトウクジラの体つきを楽器の琵琶（**図3-17**）に見立てました。琵琶といえば、かつては『耳なし芳一』[6]のように盲人の奏者が多かったので、「座頭」[7]の名がつけられたようです。これは「メクラ」に意味が近いため、英名だけでなく和名にも注意が必要かもしれません。

図3-17　琵琶

この科のカメムシの多くは単眼を失っているためこの名があった。しかし、複眼は発達しており視覚に優れているため、誤解を防ぐための改称だという。

また、「humpback red snapper（ヒメフエダイ）」の学名は「*Lutjanus gibbus*」といいます。種小名の「*gibbus*」はラテン語で「セムシ」を意味するので、英名も学名も「セムシ」ということですね。以下に、種小名が「*gibbus*」のものを示します。

Lutjanus gibbus　ヒメフエダイ
Liparis gibbus　クサウオの一種
Argopecten gibbus　フロリダイタヤガイ
Bruchophagus gibbus　クローバータネコバチ
Crotalocephalus gibbus　三葉虫の一種
Euaugaptilus gibbus　カイアシの一種

このように、学名の意味をたどると、差別的な言葉に行きつく例は少なくありません。ほかにも、ガラパゴスペンギン（**口絵3-5**）の学名はやや差別的です。

Spheniscus mendiculus　ガラパゴスペンギン

属名の「*Spheniscus*」は「くさび形」を意味し、水かきのある足の形にちなんだもので、とくに問題はありません。しかし、種小名の「*mendiculus*」には「乞食のような」という意味があり、頭を下げて前傾姿勢で歩く姿に由来します。これは、150年以上も前につけられた学名ですが、現代の日本において「乞食」には差別的なニュアンスがふくまれるだけでなく、乞食行為をすることは犯罪です。ほかにも「*mendicus*（乞食）」を種小名に持つ種には、以下のようなものがいます。

Platylomalus mendicus　ヒメチビヒラタエンマムシ

memo ────────────────────────────────

ケープペンギンは英語で「jackass penguin」と呼ばれる。jackass には「のろま」や「まぬけ」という意味があるが、この場合は「オスのロバ」の意味。ケー

214

Conorhynchus mendicus　カツオゾウムシの一種
Mimetus mendicus　ハラビロセンショウグモの一種
Nassarius mendicus　ムシロガイの一種

　上記のうち、和名のない*Conorhynchus mendicus*をコジキカツオ
ゾウムシ、*Mimetus mendicus*をコジキハラビロセンショウグモと呼
ぶことは可能でしょう。しかし、*Nassarius mendicus*をコジキムシ
ロガイとすることはできません。なぜなら、近縁のムシロガイに、以
下のような和名のものがいるからです。

Ilyanassa obsolete　コジキムシロガイ

　「*obsolete*」は「時代遅れの」という意味で、乞食とは関係ありま
せん。ムシロガイは海底に沈殿したデトリタス※8を食べるため、こ
のような和名がつけられたようです。
　ラテン語習得者の中には、このような学名を不快に思う人もいるか
もしれません。しかし、117ページの「無効名になったブロントサウ
ルス」でお話ししたように、学名は原則的に変更禁止です。「不快に
思う人がいる」※9という理由では変更できません。
　そもそも、生きものの名前として定着している単語をわざわざ分解
して、「この部分は差別的だ」と指摘することが、差別をなくすこと
につながるのか疑問です。たとえば、バカマツタケという名前を聞い
て、「自分を差別している」と感じる「バカの人」が存在するのでしょ
うか。また、「差別的な名前をつけられたバカマツタケが可哀想」と
主張する「優しい人」はいるかもしれませんが、そうした主張は、異
なるシステムの生物の気持ちを代弁するふりをした自己アピールのよ
うな気がします。
　しかし、「たとえ生きものの名前であっても、差別的な言葉は見聞

───────────────

プペンギンの鳴き声がロバのいななきに似ていることから名づけられた。

図3-18
メクラチビゴミムシの一種
（ヨウザワメクラチビゴミムシ）

きしたくない」といわれれば、そうした主張は理解できなくもありません。要注意語ばかりで構成されたチョウセンメクラチビゴミムシ（**図3-18**）のような和名は、私だって人前で口にしにくいと感じます。

　以上のように、差別語の言い換えは、なかなか難しい問題です。おそらく、社会的に差別表現を覆い隠す傾向は、今後も加速していくことでしょう。そして、そんな風潮が和名の言い換えにも波及していくかもしれません。この問題、みなさんはどう感じましたか。

※1　李氏朝鮮の前の国名「高麗」に由来。
※2　世界で初めて全身麻酔手術に成功した華岡青洲は、チョウセンアサガオの実を主成分とした「通仙散（麻沸散）」を麻酔薬として使用している。
※3　かつては、朝鮮半島に由来する外来種だと思われていたから、という説もある。
※4　「hunchback」と「humpback」は同義語。
※5　フランスの小説家であるヴィクトル・ユーゴー作。フランス語のタイトルは『Notre-Dame de Paris（ノートルダム・ド・パリ）』。
※6　盲人の琵琶法師である芳一が、平家の怨霊に耳を引きちぎられる話。『怪談』（小泉八雲著）にも収録されている。
※7　江戸時代以前に存在した、盲人の組合における階級の1つ。転じて、単に盲人のことも指す。『座頭市物語』（子母澤寛著）に登場する市も、座頭という階級にあるわけではなく、盲人の侠客。
※8　死体や排泄物などが分解され、泥状になった有機物。生物残査ともいう。
※9　なにを不快に思うかは、個人差が大きい。たとえば、「ゴキブリという文字は目にするだけでも不快なので、すべて『G』に置き換えるべきだ」と主張する人もいる。
　　かつて、私は『ゴキブリだもん』（鈴木知之著）という本を編集し、表紙にクロゴキブリの写真を並べたことがあった。すると、表紙が不快だというクレームが書店に入り、その店の在庫がすべて返本されたため、ノイジー・マイノリティも無視できない。

そんな名前になぜなった

▲

まぎらわしい名前

● ウミヘビはヘビか魚か

ここでは、まったく違う生きものなのに、同じような名前で呼ばれる生きものを紹介します。なかでもよく知られる例は、ウミヘビではないでしょうか。ウミヘビと呼ばれる生きものは、爬虫類（有鱗目コブラ科）のウミヘビと、硬骨魚類（ウナギ目ウミヘビ科）のウミヘビ（**口絵3-6**）がいます。

本来的な意味では、海に進出したヘビのほうがウミヘビの名にふさわしいと思います。でも、ヘビみたいに細長い海の魚にも、ウミヘビの名がつけられてしまいました。ちなみに英名は、爬虫類が「sea snake（ウミヘビ）」、硬骨魚類が「snake eel（ヘビウナギ）」なので、和名と違ってわかりやすいですね。

では、次のうち、どれが爬虫類で、どれが硬骨魚類かわかりますか。答えはこちら[※1]。

オビウミヘビ	クロウミヘビ
トゲウミヘビ	ボウウミヘビ
エラブウミヘビ	ダイナンウミヘビ
マダラウミヘビ	シマウミヘビ
ツノウミヘビ	トガリウミヘビ

---

memo

バラムンディはアロワナ科の淡水魚。バラマンディはアカメ科の海水魚。ただし、どちらも英語のつづりは「barramundi」。

●細長い魚はだいたいウナギ

　ウナギというのも、細長い魚につけられがちな名前です。身が長いことを表す「身長」が語源とされているので、当然といえば当然です。でも、ニホンウナギなど「真のウナギ（ウナギ科ウナギ属）」といえるものは、世界に十数種しかありません。

　以下は、ウナギと呼ばれる魚を列挙したものです。下に行くほど、分類的に真のウナギに近づきます。ちなみに、ヌタウナギ、ヤツメウナギ、タウナギあたりは食用になりますが、真のウナギとはまったく風味が異なるので（まずいわけではない）、別の魚だということを意識して食べたほうが良いでしょう。

　ヌタウナギ綱 → ヌタウナギ（口絵3-4）

　ヤツメウナギ綱 → ヤツメウナギ

　硬骨魚綱

　　タウナギ目

　　　タウナギ亜目

　　　　タウナギ科 → タウナギ（口絵3-7）

　　　トゲウナギ亜目

　　　　トゲウナギ科 → トゲウナギ

　　デンキウナギ目

　　　　ギュムノートゥス科 → デンキウナギ（口絵3-7）

　　フウセンウナギ目

　　　ヤバネウナギ亜目

　　　　ヤバネウナギ科 → ヤバネウナギ

　　　フウセンウナギ亜目

　　　　フウセンウナギ科 → フウセンウナギ（口絵3-7）

　　　　フクロウナギ科 → フクロウナギ

　　　　タンガクウナギ科 → タンガクウナギ

memo

ブラックバスやブルーギルをふくむサンフィッシュ科は、北アメリカに生息する淡水魚のグループで、ロングイヤーサンフィッシュ（longear sunfish）やグ

ウナギ目
　ムカシウナギ亜目
　　ムカシウナギ科 → ムカシウナギ
　ウツボ亜目
　　ザトウウナギ科 → ザトウウナギ
　ウナギ亜目
　　シギウナギ科 → シギウナギ（口絵3-7）
　　ノコバウナギ科 → ノコバウナギ
　　ウナギ科 → ニホンウナギ（口絵3-7）、オオウナギ、
　　　　　　　ヨーロッパウナギなど

●カゲロウとアミメカゲロウ

　昆虫には名前が似ているけど違うものがたくさんいます。そのなかで、カゲロウ目のカゲロウとアミメカゲロウ目のウスバカゲロウは、間違えやすい昆虫です（口絵3-8）。

　カゲロウの幼虫は水生昆虫で、蛹にならない不完全変態。幼虫は陸に上がって成虫になると、産卵をしてすぐに死にます。一方、ウスバカゲロウの幼虫は地中にひそむアリジゴク。ウスバカゲロウは蛹を経て成虫になる完全変態のグループで、成虫期間は2～3週間くらいあります。ついでに、ウスバカゲロウと同じアミメカゲロウ目には、カマキリモドキというカマキリによく似た昆虫もいることは85ページでも触れましたね。

　ほかにも、カワゲラとトビケラも混同されがち。どちらも、幼虫時代は水中で過ごす水生昆虫ですが、カワゲラ目は不完全変態、トビケラ目は完全変態で、やはり分類のかけ離れたグループです。ちなみに、浅い川で石をひっくり返すと、高確率でカゲロウ、カワゲラ、トビケラの幼虫が見つかります。トビケラの幼虫はイモムシっぽい雰囲気ですが、カゲロウとカワゲラの幼虫は紛らわしいですね。

リーンサンフィッシュ（green sunfish）などの種がいる。海水魚のマンボウはマンボウ科だが、英名は「sunfish（またはocean sunfish）」。

●甲殻類の蝦蛄、鳥の鷓鴣、二枚貝の硨磲

お寿司屋さんで食べられるシャコは、たいていシャコ目シャコ科シャコ属のシャコという種。シャコ目には、カラフルなモンハナシャコ（**口絵3-9**）や、最大で全長40cmにもなるトラフシャコなどがおり、強大な「捕脚（第2顎脚）」によるシャコパンチ[※2]をすることで有名です。

でも、同じ甲殻類には、系統のまったく違うシャコもいます。それが、エビ目のアナジャコです[※3]。かれらはエビ目の特徴である「鋏脚（第1胸脚）」が完全なハサミになっておらず、シャコの「捕脚」のように見えます。そして、干潟に穴を掘って潜むという生態から、「穴にすむシャコ」でアナジャコと呼ばれるようになりました。

ほかにも、キジ目キジ科キジ亜科に、スナシャコやイワシャコ、コモンシャコなど、シャコと呼ばれる鳥がいます。おおむね、ウズラよりもやや大きい小型の鳥が「○○シャコ」と呼ばれますが[※4]、日本には1種も生息していません。ちなみに、スズメ目のカエデチョウ科には、シャコっぽい風貌をしたシャコスズメという鳥もいます。

また、マルスダレガイ目シャコガイ亜科には、シャコガイという二枚貝がいます。シャコガイ亜科の中で和名に「シャコ」がつくのは、オオシャコ属（*Tridacna*）の数種です。これらは基本的に「○○シャコガイ」と呼ばれますが、世界最大の二枚貝としておなじみのオオシャコガイを、オオシャコと略すことはよくあります（**口絵3-9**）。

ちなみに中国語では、甲殻類のシャコは「蝦蛄」、鳥類のシャコは「鷓鴣」、貝類のシャコは「硨磲」と書きます。これらがすべて日本でシャコと呼ばれるのは、中国の中古音[※5]に基づいた発音です。

●ベニスズメとウミスズメ

次はスズメです。ベニスズメという和名を持つものには、鳥と昆虫がいます。鳥のベニスズメは狭義のスズメではありませんが、スズメ

---

memo

シラサギという種名の鳥はいない。ダイサギ、チュウサギ、コサギなど、羽毛が白いサギ科の鳥の総称がシラサギ。一方、クロサギという種名の鳥はいる。

科に近縁のカエデチョウ科。繁殖期のオスの羽は、イチゴのように赤くなるので、英名は「ストロベリーフィンチ（strawberry finch）」といいます。そして、昆虫のほうのベニスズメは、チョウ目スズメガ科に属するピンク色のガです。

また、ウミスズメという和名の生きものも2種います。それが、チドリ目ウミスズメ科の海鳥と、フグ目ハコフグ科の海水魚です。鳥のほうは、海鳥の中では体が小さい（全長25cm）ので、スズメといわれても違和感はありません。でも、魚のほうは、見た感じ「角のあるハコフグ」。「どこがスズメ？」と思ってしまいますが、ふっくらした体と平たい尾びれを、翼をたたんでうずくまるスズメの姿に見立てたようです。

ほかにも、スズメガ科の昆虫にはコスズメやクロスズメ、スズメ科の鳥にはオオスズメやホオグロスズメ、フクロウ科の鳥にはコスズメフクロウやオオスズメフクロウ、スズメダイ科の魚にはクロスズメやソラスズメ[6]、スズメバチ科の昆虫にはクロスズメバチやオオスズメバチがいます。また、スズメガ科にはホウジャクというガもいますが、こちらは漢字で書くと「蜂雀」。ハチのようにホバリングするスズメガという意味です。漢字を逆にすると、「雀蜂」になりますが、スズメバチはスズメのように大きなハチという意味[7]。ついでに、ハチドリ（蜂鳥）は、ハチのようにホバリングする鳥ですね。

● ネズミじゃない○○ネズミ

ネズミ目じゃないのに、「○○ネズミ」と呼ばれる哺乳類は少なくありません。モグラ目のトガリネズミ、ジネズミ、ジャコウネズミ、カワネズミ、ハリネズミ、そしてハネジネズミ目のハネジネズミです。さらに、ジネズミテンレックが属するのはアフリカトガリネズミ目[8]、旧称フクロネズミ（オポッサム）はオポッサム目[9]で、これらはすべてネズミ目とは分類がかけ離れています。

しかも、羽毛が白い白色型のクロサギもいる。

モグラ目
　→トガリネズミ、ジネズミ、ジャコウネズミ、
　　カワネズミ、ハリネズミ
ハネジネズミ目
　→ハネジネズミ
アフリカトガリネズミ目
　→ジネズミテンレック
オポッサム目
　→フクロネズミ

　また、ハリネズミはモグラ目ですが、ハリモグラはカモノハシ目、ハリテンレックはアフリカトガリネズミ目、ヤマアラシはネズミ目というのも紛らわしいですね。ちなみに英名は、ハリネズミ（**図3-19**）が「ヘッジホッグ（hedgehog）」、ハリモグラ（**図3-20**）は「エキドナ（echidna、123ページも参照）」、ハリテンレック（**図3-21**）が「ヘッジホッグ・テンレック（hedgehog tenrec）」、ヤマアラシが「ポーキュパイン（porcupine）」とだいぶ違います。
　さらに、ネズミ目にはヤマアラシと呼ばれるグループが2つあります。それが、ユーラシアからアフリカに分布するヤマアラシ科（旧世

図3-19　ヨツユビハリネズミ（モグラ目）

図3-20　ハリモグラ（カモノハシ目）

memo
マメジカ科のマメジカ（口絵1-17）は、英語で「mouse deer」。キヌゲネズミ科のシカマウスは、英語で「deer mouse」。マメジカのほうは「ネズミのよう

図3-21　ヒメハリテンレック
（アフリカトガリネズミ目）

図3-22　アフリカタテガミヤマアラシ
（ネズミ目ヤマアラシ科）

界ヤマアラシ（**図3-22**））と、北アメリカに分布するアメリカヤマアラシ科（新世界ヤマアラシまたはキノボリヤマアラシ（**図3-23**））ですが、これらはたまたま似たような姿に進化した分類の離れたグループです。

図3-23　カナダヤマアラシ
（ネズミ目アメリカヤマアラシ科）

● モルモットはマーモット？

　まったく同じというわけではありませんが、まぎらわしい名前のものもいます。たとえば、モルモット（ネズミ目テンジクネズミ科）、マーモット（ネズミ目リス科）、マーモセット（サル目オマキザル科（**口絵1-20**））です（**図3-24**）。

　もともとモルモットというのは、オランダ語でマーモットを意味する言葉でした。しかし、江戸時代にテンジクネズミを持ち込んだ商人が、これをマーモットだと勘違いして日本に紹介したため、世界でも日本のみ、テンジクネズミをモルモットと呼んでいます[10]。ちなみに、マーモットというのは、ラテン語の「murem montis（山のネズミ）」に由来するそうです。

に小さいシカ（によく似た反芻類）」、シカマウスのほうは「シカのように跳躍力や走力に優れたネズミ」というのが名前の由来。

図3-24　左からモルモット、マーモット（ボバクマーモット）、マーモセット（コモンマーモセット）

オマキザル科のマーモセットは、フランス語の「marmouser（つぶやく）」に由来するといわれます。おそらくこれは、マーモセットが頻繁に音声コミュニケーションを取るからでしょう。かれらは最小クラスのサルなので、大型のサルに比べれば声が小さく、それが「つぶやく」と表現されたのだと思います。

●魚じゃないハリセンボン

ハリセンボン（**図3-25**）といえば、普通はフグ目ハリセンボン科の魚を思い浮かべるでしょう。沖縄県では「アバサー」と呼ばれるおいしい魚ですね。よくクイズに出題されますが、「針千本」といいながら針の数は400本もないそうです。そして、ハリセンボンと名のつく生きものはほかにもいます。

2つめのハリセンボンは、エビ目クモガニ科。クモガニというだけあり、クモのように歩脚が細く長いのですが、全身に細かいトゲがびっしり生えています。

3つめは、ナデシコ目ヒユ科のハリセンボン。こちらは、トゲがあるわけではなく、分岐しまくった茎に細い針状の葉がびっしり生える様子を、「針千本」と表現したようです。雑穀のキヌアと同属ですが、ハリセンボンの実は食用になりません。

memo

刺胞動物門にはサンゴやイソギンチャクのほか、クラゲと呼ばれるものがいる。ただし、ベニクラゲはヒドロ虫綱、ムシクラゲは十文字クラゲ綱、アンドンク

図3-25　ハリセンボン

図3-26　キンメダイ

● タイは平たい

　日本周辺にはおよそ3,700種の魚が生息していますが、そのうち1割くらいの種には種名の語尾に「タイ（ダイ）」がつくそうです。そのうち、真のタイといえるタイ科のものは、マダイ、クロダイ、チダイ、ヘダイなど13種しかいません[※11]。そのため、アマダイ、イシダイ（口絵3-10）、コブダイ（口絵3-10）、スズメダイ、キンメダイ（図3-26）などほとんどのタイは、ニセモノのタイだといえます。

　とはいっても、もともと垂直方向に「平たい」魚をタイと呼んでいたようなので、分類など関係なく「○○ダイ」という名前の魚が多いのは仕方がありません。以下に、真のタイではない「○○ダイ科」を列挙します。

真のタイではない「○○ダイ科」

アオバダイ科	スダレダイ科
アゴアマダイ科	ソコマトウダイ科
アマダイ科	タカノハダイ科
イシダイ科	テンジクダイ科
イットウダイ科	トコナツイボダイ科
イトヨリダイ科	ドクウロコイボダイ科

ラゲは箱虫綱、ミズクラゲは鉢虫綱と分類は多岐にわたる。

イボダイ科 　　　　　　　ニザダイ科

エボシダイ科 　　　　　　ヒウチダイ科

オオメマトウダイ科 　　　ヒカリキンメダイ科

オオメメダイ科 　　　　　ヒシダイ科

カゴカキダイ科 　　　　　ヒシマトウダイ科

カワリハナダイ科 　　　　フエダイ科

キツネアマダイ科 　　　　フエフキダイ科

キンチャクダイ科 　　　　ブダイ科

キントキダイ科 　　　　　ベニマトウダイ科

キンメダイ科 　　　　　　マツダイ科

ギンメダイ科 　　　　　　マトウダイ科

クロホシマンジュウダイ科　マンジュウダイ科

シキシマハナダイ科 　　　ミハラハナダイ科

スズメダイ科

●まぎらわしい分類名

　少し前の図鑑を見ると、有鱗目というグループが哺乳類にも爬虫類にも載っています。哺乳類のほうはセンザンコウ8種（**図1-13**）のみからなる小さなグループですが、爬虫類のほうはトカゲとヘビをふくむ大きなグループです（爬虫類の9割以上の種を占める）。

　ただし、哺乳類のほうの有鱗目は、「文部省式カタカナ目名」[※12]に基づいた「センザンコウ目」と呼ばれることが多くなってきました。また、漢字名を採用している日本哺乳類学会でも「鱗甲目」と改称されたので、新しい図鑑ではこの混乱が解消されています。

　ほかの分類群を見ても、重複した名称はけっこうあります。チョウ目といえば、チョウとガをふくむ昆虫のグループを思い浮かべますが、じつは甲殻類にもチョウ目が存在します。しかも、チョウ目チョウ科チョウ属のチョウという種までいるので、こちらのほうが真のチョウ

memo

名前にクラゲとつくが、刺胞動物門ではないものもいる。カブトクラゲは有櫛動物門（クシクラゲ類）。ゾウクラゲは軟体動物門（巻き貝類）。キクラゲは担

ではないかと思ってしまいそうです。ちなみに、甲殻類のチョウは、漢字で書くと「金魚蝨」。かれらはキンギョやコイなど淡水魚の寄生虫で、別名を「ウオジラミ」といいます。ただし、普通はウオジラミといった場合、ウオジラミ目ウオジラミ科※13 に属する海水魚の寄生虫を指すので、別名にも注意が必要です。

やややマイナーですが、カメムシ目にはハゴロモ科というグループがあります。派手な昆虫の多いビワハゴロモ科※14 に近縁のグループですが、日本で見られるハゴロモ科の種は、ベッコウハゴロモ（**口絵3-11**）やアミガサハゴロモなど、体長1cmにも満たない「極小のガ」みたいな見た目のものばかりです。

そんな昆虫よりもさらにマイナーなのが、ハネモ目のハゴロモ科。こちらは温暖な海域に生息する緑藻類で、日本近海からはウスバハゴロモやオオハゴロモが知られています。

以上で「まぎらわしい名前」は終わりですが、最後に紹介しきれなかった「同名異種」を列挙します。

アオサギ	：ペリカン目（鳥類）
	マルスダレガイ目（二枚貝類）
アカザ	：ナマズ目（硬骨魚類）
	ナデシコ目（被子植物類）
イシノミ	：イシノミ目（昆虫類）
	サンゴモ目（紅藻類）
ウシノシタ	：カレイ目（硬骨魚類）
	シソ目（被子植物類）
オオムラサキ	：チョウ目（昆虫類）
	ツツジ目（被子植物類）
カエンタケ	：新腹足目（腹足類）
	ボタンタケ目（キノコ類）

子菌門（担子器で胞子をつくるキノコ類）。ツチクラゲは子嚢菌門（子嚢で胞子をつくるキノコ類）。イシクラゲは藍色細菌門（シアノバクテリア類）。

カキツバタ	：キジカクシ目（被子植物類）
	ウグイスガイ目　（二枚貝類）
カマキリ	：スズキ目（硬骨魚類）
	カマキリ目（昆虫類）
カマツカ	：コイ目（硬骨魚類）
	バラ目（被子植物類）
カラス	：スズメ目（鳥類）[※15]
	フグ目（硬骨魚類）
クロサギ	：ペリカン目（鳥類）
	スズキ目（硬骨魚類）
クロヅル	：ツル目（鳥類）
	ニシキギ目（被子植物類）
コクワガタ	：コウチュウ目（昆虫類）
	シソ目（被子植物類）
コミミズク	：フクロウ目（鳥類）
	カメムシ目（昆虫類）
コムラサキ	：チョウ目（昆虫類）
	シソ目（被子植物類）
サワラ	：サバ目（硬骨魚類）
	マツ目（裸子植物類）
シマアジ	：カモ目（鳥類）
	スズキ目（硬骨魚類）
スギ	：スズキ目（硬骨魚類）
	マツ目（裸子植物類）
センブリ	：ヘビトンボ目（昆虫類）
	リンドウ目（被子植物類）
ツチグリ	：ニセショウロ目（キノコ類）
	バラ目（被子植物類）

---

memo

クラゲエボシは、クラゲみたいに体が半透明なエボシガイの仲間。そしてエボシガイは、貝ではなく甲殻類のフジツボの仲間。

ハス	：コイ目（硬骨魚類）
	ヤマモガシ目（被子植物類）
ハツカネズミ	：ネズミ目（哺乳類）
	タマキビガイ目（腹足類）
ヒイラギ	：スズキ目（硬骨魚類）
	シソ目（被子植物類）
ヒオウギ	：イタヤガイ目（二枚貝類）
	キジカクシ目（被子植物類）
	サンゴモ目（紅藻類）
ホトトギス	：カッコウ目（鳥類）
	イガイ目（二枚貝類）
	ユリ目（被子植物類）
ミズムシ	：カメムシ目（昆虫類）
	ワラジムシ目（甲殻類）
ミヤコドリ	：チドリ目（鳥類）
	アマオブネガイ目（腹足類）
ミヤマクワガタ	：コウチュウ目（昆虫類）
	シソ目（被子植物類）
ヤマドリ	：キジ目（鳥類）
	スズキ目（硬骨魚類）
ヤマホトトギス	：イガイ目（二枚貝類）
	ユリ目（被子植物）

※1　左の列が爬虫類（コブラ科）、右の列が硬骨魚類（ウミヘビ科）。ちなみに、爬虫類のウミヘビをコブラ科から独立させて、ウミヘビ科とすることもある。その場合、どちらも同じ「ウミヘビ科」になるので、さらに混乱度が増す。

※2　折りたたんだ捕脚を素早く突き出すことで、カニの甲羅や貝殻を割ることができる。

━━ memo ━━
モミジガイはヒトデの仲間。ヒトデとしては一般的な5本の腕を持ち、とくにモミジっぽさはなく、貝の要素に至っては皆無。

※3　アナジャコは、エビ目抱卵亜目アナジャコ下目。抱卵亜目にはザリガニ下目、イセエビ下目、ヤドカリ下目、カニ下目などがある。また、シャコ目のそれぞれの種は「〇〇シャコ」と濁らないが、アナジャコは濁る。硬骨魚類にも、バカジャコ、モジャコ（ブリの稚魚）、ホタルジャコのように、「〇〇ジャコ」という名の魚はいるが、こちらは「雑魚」に由来。

※4　ただし、狭義のシャコは、シャコ属（*Francolinus*）の約40種。スナシャコやイワシャコはそれぞれ別属。

※5　隋や唐の時代に使われていた、中くらいに古い時代の発音。より古い発音は上古音、より新しい発音は近古音という。

※6　標準和名はクロスズメダイおよびソラスズメダイ。

※7　スズメバチの巣の色がスズメの羽色に似ているためスズメバチだともいわれるが、かなり疑わしい。

※8　日本哺乳類学会はアフリカトガリネズミ目という分類名を採用しているが、同じ分類群をテンレック目と呼ぶこともある。

※9　かつて、有袋類は1つの目にまとめられ、フクロネズミ目（※12の「文部省式カタカナ目名」）と呼ばれていたが、現在は次の7目に分けることが多い。

　　　オポッサム目（オポッサム形目）
　　　ケノレステス目（少丘歯目）
　　　ミクロビオテリウム目
　　　フクロモグラ目（フクロモグラ形目）
　　　フクロネコ目（フクロネコ形目）
　　　バンディクート目（バンディクート形目）
　　　カンガルー目（双前歯目）

※10　標準和名はテンジクネズミ、英名はguinea pig、オランダ名はcavia、学名は*Cavia porcellus*。また、ハイラックスはテンジクネズミの祖先だと考えられたことから、以下のような属名がある。

　　　ハイラックス属 → *Procavia*（前のテンジクネズミ）

※11　マダイ、チダイ、キダイ、キビレアカレンコ、ホシレンコ、タイワンダイ、ヒレコダイ、クロダイ、キチヌ、ヘダイ、オキナワキチヌ、ミナミクロダイ、ナンヨウチヌの13種だが、種名が「〇〇ダイ」なのは8種のみ。

※12　1988年出版の『学術用語集動物学編（増訂版）』（文部省・日本動物学会編）で採用された、カタカナ表記の哺乳類の目名。以下のような変更が行われた。例：有袋目→フクロネズミ目、長鼻目→ゾウ目、霊長目→サル目、齧歯目→ネズミ目、食肉目→ネコ目、奇蹄目→ウマ目。

memo

カヤツリグサ科のヤマイの語源は「病（やまい）」ではなく、「山に生えるイグサのような植物」という意味。

ユカタンビワハゴロモ

テングビワハゴロモの一種

※13　チョウ目もウオジラミ目も甲殻類（甲殻亜門）ではあるが、チョウ目は
　　　ウオヤドリエビ綱、ウオジラミ目は六幼生綱と、綱のレベルで分類が異
　　　なる。

※14　上の写真の中南米のユカタンビワハゴロモや、東南アジアのテングビワ
　　　ハゴロモが有名。

※15　フグ目のカラスは種名だが、カラスという種名の鳥はいない。

> **miniコラム　いろいろなホトトギス**
>
> 　ホトトギスといえば普通は鳥を思い浮かべますが、被子植物と二
> 枚貝にもホトトギスはいます。被子植物のほうは花の模様が、二枚
> 貝のほうは貝殻の模様が、鳥のホトトギスの胸にある斑紋に似てい
> ることが名前の由来です。
> 　また、「目には青葉　山郭公　初鰹」という山口素堂の俳句があ
> るように、山にホトトギスはいますが、ヤマホトトギスという種名
> の鳥はいません。でも、被子植物と二枚貝にはヤマホトトギスとい
> う種名のものがいます。被子
> 植物のほうは、近縁のホトト
> ギスよりも山地で見られるの
> が名前の由来。一方、二枚貝
> のほうは、山ではなく浅い海
> 底に生息します。そのため、
> まったく山の要素はないので
> すが、素堂の俳句から着想を
> 得てこのような名前がつけら
> れたようです。
>
>
> 被子植物のホトトギス

奇妙な名前

●ハテナ？

　ここからは、ちょっと不安になる奇妙な名前の生きものを紹介しましょう。まずは、カタブレファリス門[※1]のハテナ。かれらは海岸の湿った砂の中に生息する、長径0.03〜0.04mm、短径0.015〜0.02mmの生きものです。平たい小判型の体に、2本の鞭毛を持ちますが、泳ぐわけではなく、砂粒のあいだを這うように移動します。この生きものは、岡本典子博士と井上勲博士によって記載され、以下のような学名と和名がつけられました。

Hatena arenicola Okamoto and Inouye, 2006　ハテナ

　この学名には、「砂浜に生息するハテナ」という意味があります。なにがハテナなのかというと、細胞分裂による増殖の仕方が奇妙なところです。

　ハテナは細胞内に共生藻を持ち、光合成をします。ところが、細胞分裂をするときには細胞内の共生藻が分裂せず、共生藻のいる「緑色の個体」と共生藻のいない「無色の個体」に分かれるのです（図3-27）。その結果、緑色の個体は分裂前と変わらず光合成ができるのに、無色の個体は光合成ができなくなってしまいます。そこで、無色の個体は藻類を捕食し、自らの共生藻として取り込むことで、

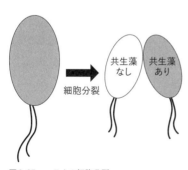

細胞分裂

共生藻なし　共生藻あり

図3-27　ハテナの細胞分裂

図3-28　ハテナゴキブリ

図3-29　ドミノゴキブリ

再び光合成をするようです。まるで、太古の植物が細胞内に葉緑体を取り込んだ過程を、細胞分裂のたびに繰り返しているかのようですね。

　ゴキブリ目のムカシゴキブリ科にも、和名を「ハテナゴキブリ」、英名を「question-mark cockroach」という種がいます（**口絵3-12、図3-28**）。その名の由来は、黒い翅に描かれた白い模様が「？」の形に見えるためです。

　ハテナゴキブリの学名は*Therea olegrandjeani*といいますが、*Therea*属のゴキブリはドミノゴキブリ（**図3-29**）と総称されます。これは、翅の白い斑点がドミノ倒しで使われる「ドミノ牌」のようだからです。しかし、ハテナゴキブリはこの斑点がつながっており、太い「？」のように見えます。

●なにがナンダ？

　ナンダというヘビもいます。「なにがナンダ？」と思うでしょうが、漢字で書くと「南蛇」。南方に生息するヘビという意味です。「南方に生息するということは沖縄のヘビ？」と思ったかもしれませんが、南蛇はもともと中国名です。中国南部から東南アジアに生息するので、雑に「南の蛇」と命名されたのでしょう。

　ヘビにはほかにも「○○ダ」というものがけっこういます。たとえば、捕まえようとすると、おしり（総排出腔）から臭い液を出す「シュ

memo

スズメダイ科のオヤビッチャは全長20cmほどの可愛い魚。「ビッチャ」とは「赤ん坊」を意味する方言で、親（成魚）になっても可愛いことから名づけられた。

ウダ（臭蛇）」、ウメの花のような模様のある「バイカダ（梅花蛇）」、咬まれたら100歩以内に死ぬ「ヒャッポダ（百歩蛇）」などです。ちなみに、ヒャッポダは台湾からベトナムにかけて生息する毒ヘビですが、マムシ亜科の中ではとくに毒が強いというわけではありません。

一方、「咬まれたらその日ばかりの命」だと誤解されたのが、無毒ヘビのヒバカリです。その学名は「*Hebius vibakari*（ヘビウス・ウィバカリ）」という、日本語の「ヘビ」と「ヒバカリ」に由来したもの。そして、沖縄県に生息するヒバカリ属（*Hebius*）には、ガラスヒバァ、ミヤコヒバァ、ヤエヤマヒバァの「ヒバァ三兄弟」がいます。この「ヒバァ」というのは、「ヘビ」の沖縄方言です。

また、ナンダ（南蛇）の別名はナンジャといいますが、植物にはナンジャモンジャ（ナンジャモンジャノキ）という別名を持つものがいます。それが、モクセイ科のヒトツバタゴです（**口絵3-13**）。

ヒトツバタゴの国内分布は、対馬および、岐阜県と愛知県の一部という限られた地域です。そのため、それ以外の地域に植樹されても、たいていの人にとっては見慣れない木なので、「（この木は）なんじゃもんじゃ？」と呼ばれたのでしょう。

同じような理由で、ほかにもナンジャモンジャの別名を持つ「個体（特定の有名木）」[※2]はありますが、種の別名としてはヒトツバタゴを指すのが一般的です。

そして、あらゆる植物の中で最も正体不明なのが、ナンジャモンジャゴケです。この植物は1952年に、マゴケ植物類の研究者である高木典雄博士によって、日本の北アルプスで発見されました。高木博士はこれをマゴケ植物類ではないと考え、ゼニゴケ植物類の研究者である服部新佐博士のもとに送ります。しかし、服部博士はその植物の正体がわかりませんでした。そこで、藻類や地衣類、シダ植物類の研究者のもとにも送りましたが、誰にも正体がわかりません。そこで服部博士は、この植物をナンジャモンジャゴケと名づけたのです[※3]。

---

memo

福島県で発見されたビャッコイは、イグサの仲間。この地方の方言「ひゃっこい（冷たい）」とは関係がなく、漢字で書くと「白虎藺」。「白虎隊でおなじみ

●奇想天外、ああそうかい

　ウェルウィッチア科の
サバクオモトには、キソ
ウテンガイ（口絵3-14）
という別名があります。
キソウテンガイはアフリ
カのナミブ砂漠のみに自
生する草ですが、なんと
2000年以上も生きてい
る個体が見つかっていま
す。しかも、それほど長
生きなのに、生涯を通じ

図3-30　パキポディウム（*Pachypodium lamerei*）

てたった2枚の葉しか生えてこないという「奇想天外」っぷりです[※4]。

　さらに、このキソウテンガイは、裸子植物の中でも被子植物に近い
特徴を持つ、グネツム綱に分類されます[※5]。つまり、分類学的にも
めちゃくちゃ特殊なわけです。ちなみに、学名は「*Welwitschia
mirabilis*」[※6]といい、属名をカタカナ化してウェルウィッチアとも
呼ばれます。

　また、キョウチクトウ科には、アアソウカイという植物もいます。
かれらはマダガスカルに固有の植物ですが、マダガスカルというのは
「アジア（亜細亜）とアフリカ（阿弗利加）の境界」なので、「亜阿相
界」と名づけられたそうです。

　ただし、日本語の辞書に「相界」という言葉はありません。「ああきょ
うかい（亜阿境界）」よりも「ああそうかい（亜阿相界）」のほうが響
きが面白いので、造語を使ってこじつけたのでしょう。

　ちなみに、アアソウカイをふくむパキポディウム属（*Pachypodium*）
（図3-30）は、園芸植物として人気の高いグループです。その多くはマ
ダガスカルの固有種なので、この種だけが「亜阿相界」に分布してい

の会津地方で発見された藺草（イグサ）」というのが名前の由来だが、のちに
会津地方ではなく中通り地方に自生することがわかった。

るわけではありません。しかし、アアソウカイ（*P. geayi*）はパキポディウム属の中でも最大級で、高さ7～8mにもなるため、壮大な和名がつけられたのでしょう。

※1　緑色植物、紅色植物、灰色植物をふくむ「広義の植物界（Archaeplastida）」にはふくまれず、植物に近縁の「クリプト藻類（Cryptista）」だと考えられているグループ。

※2　たとえば、千葉県の神崎神社にあるクスノキの大木も、ナンジャモンジャと呼ばれる木の1つ。1674年に水戸光圀がこの神社を訪れた際、「この木の名前は何というもんじゃろうか」と自問自答したという逸話がある。この木は「神崎の大クス」という名称で、国の天然記念物にも指定されている。

※3　その後、ナンジャモンジャゴケは非常に特殊なマゴケ植物であることがわかり、現在はナンジャモンジャゴケ綱ナンジャモンジャゴケ目ナンジャモンジャゴケ科ナンジャモンジャゴケ属に分類されている。

※4　この2枚の葉はいつまでも伸び続け、長い年月のあいだに裂けていくので、年を経た個体は何枚もの葉があるように見える。

※5　被子植物はおよそ22万種が知られているが、裸子植物はわずか800種に過ぎない。裸子植物には、ソテツ綱、イチョウ綱、マツ綱（針葉樹）、グネツム綱がふくまれ、グネツム綱には3つの科が知られる。そのうちの1つがウェルウィッチア科で、分類されているのはサバクオモト（キソウテンガイ）1種のみ。

※6　*Welwitschia* は「（発見者である）ウェルウィッチの」、*mirabilis* は「驚異的な」を意味する。

畳語の名前

● ネズミ目のツコツコ科

畳語というのは、同じ語の繰り返しで構成された言葉のことですが、私が一番好きな畳語の名前はツコツコです。

南アメリカに生息するツコツコは、ネズミ目ヤマアラシ亜目に属し、「ミナミツコツコ、ヒガシツコツコ、ニシツコツコ」といった早口言葉に使えそうな和名を持つものが、60種もいます。ツコツコという名は、かれらの鳴き声が「ツコツコ（tuco-tuco）」と聞こえることに由来したものです。

ツコツコは基本的に単独生活で、ほとんどの時間を自分で掘った地下トンネルの中で過ごしています。トンネルツコツコ、ツカツコツコ、ナキツコツコという種名は、このような特徴を強調したものですね。そうかと思えば、地中生活のイメージに反するトビツコツコ、単独生活のイメージに反するシャカイツコツコのように、グループのイメージを覆すような名前の種もいます。ちなみに、すべてのツコツコはツコツコ科のツコツコ属（*Ctenomys*）に属し、ツコツコ科にふくまれるのはツコツコ属のみです。

● 小型ネコのコドコド、コロコロ

コドコドとコロコロは、どちらも南アメリカに生息する小型のネコ科動物です。あまりネコっぽくない名前の由来は、現地での呼び名を採用したもの。ただし、英語表記にすると、コドコドは「kodkod」、コロコロは「colocolo」なので、音の響きはわりと異なります。

図3-31　ギュンターディクディク

コドコド　*Leopardus guigna*（Molina, 1782）

コロコロ　*Leopardus colocola*（Molina, 1782）（**カバーイラスト参照**）

　これらの2種を記載したのは、もともとチリでイエズス会の司祭をしていたモリーナ[※1]です。しかし、1768年にスペインはイエズス会の追放令を出したため、モリーナはスペイン領だったチリを追い出されます。そのため、イタリアに移住し、チリの動植物を数多く記載したのです。コドコドとコロコロは、1782年出版の『チリの自然誌』[※2]において、一緒に記載されています。

　コロコロと呼ばれる哺乳類は、南アメリカにもう1種います。それが、コロコロトゲネズミです。英名は「Bolivian bamboo rat」ですが、なぜか標準和名は現地の呼称「corocoro」[※3]を採用しています。

　南アメリカに生息するネズミ目には、畳語の名前以外にも、パカ、パカラナ、アグーチ、ビスカーチャ、モコ、クイなど、現地の呼び名を採用した独特の響きの種名が少なくありません。すっかり耳慣れましたが、カピバラやチンチラもなかなか奇妙な響きですよね。

● カラカラとカラカル

　カラカラは北アメリカ南部から南アメリカに生息するハヤブサ科の鳥です。アンデスカラカラ（**図3-32**）、キノドカラカラ、シロハラカラカラなどの種がおり、高速で狩りをするハヤブサとは違って、おもに腐肉を食べています。

　この特徴的な名前は、南アメリカのトゥピ語に由来するそうです。なかでも、カンムリカラカラは、属名まで「*Caracara*」。メキシコのグアダルーペ島にはグアダルーペカラカラというカラカラ属の鳥がもう1種いました。しかし、ワシっぽい見た目から家畜を襲うのではないかと疑われ、移住者に駆除され続け、1900年に絶滅しています。

　カラカラに名前の似た、カラカル（**図3-33**）という中型のネコもい

----

memo

ギシギシ（**図3-34**）はタデ科の多年草。茎をこすり合わせると「ギシギシ」と鳴る、あるいは花穂を振ると「ギシギシ」と鳴ることが名前の由来といわれる。

図3-32　アンデスカラカラ

図3-33　カラカル

ます。私はイスラエルの村に住んでいた時期に、砂漠でドイツ人と一緒にカラカルを見たことがあります。そのとき、「あのネコの名前はなんというんだ？」と聞かれたので、「カラカルだよ」と答えたところ、「日本語の名前じゃない、英語の名前はなんというんだ？」といわれました。当時は、インターネットで検索できるような時代ではなかったので、村に帰っても調べる方法がありません。そのため、「caracal」が英名であり学名でもあることは、村に帰った後もわかってもらえませんでした。

　ドイツ人にとっては日本語のように聞こえた「カラカル」ですが、日本人からしても奇妙な響きです。そこで、何語に由来するのか調べ

図3-34　畳語の生きものギシギシ（左）とゲジゲジ（オオゲジ）

memo
ゲジゲジ（**図3-34**）はゲジ目に分類されるムカデの総称。日本にはゲジやオオゲジという種が生息している。

たところ、なんとトルコ語でした。「kara」は「黒」、「kulak」は「耳」を意味し、カラカルの特徴である「後ろから見ると真っ黒な耳」を表したもののようです。

● ドウガネブイブイ考

　コガネムシ科のドウガネブイブイ（**口絵3-15**）は、いわゆる「ド普通種」[※4]です。でも、初めて名前を聞くと、その奇妙な響きに驚くでしょう。そこで、名前の由来を調べたところ、おおむね「ドウガネ色をしたブンブン飛ぶ虫だから」とされているようです。でも、「ドウガネ色」なんて色があるのか、なんでこの虫だけが「ブイブイ」なのかと、少し引っかかりました。そこで、「独自研究」[※5]ではありますが、ドウガネブイブイの成り立ちを考えてみたいと思います。

　ドウガネブイブイは漢字で「銅金蚊蚊」[※6]と書きますが、そこには「金蚊（カナブン）」の文字がふくまれています。そこで、国語辞典でカナブンを調べてみたところ、「カナブンブン」や「カネブウブウ」という別名が載っていました。つまりドウガネブイブイは、銅色をした「金蚊蚊（カネブウブウ）」なので[※7]、「銅金蚊蚊（ドウガネブウブウ）」になったのではないかと推測できます。

　さらに、カナブンをふくむコガネムシ科の昆虫を、近畿地方ではブイブイともいうそうです。ドウガネブウブウはやや発音がしにくいので、近畿地方で語感の良いドウガネブイブイに変化すると、それが全国に広まったのではないでしょうか。

　また、「蚊」は「蚊」の異体字なので、カを意味します。ただし、字の成り立ち的には、「ブンブン飛ぶ虫」を表すようです。つまり「蚊」の字は、意味を表す「虫」と音を表す「文」を組み合わせてつくられた「形声文字」ということ。そしてカナブンは、金属光沢のある鞘翅[※8]を持ち、わりと大きな羽音を立てて飛ぶ虫なので、金蚊になったのでしょう。

───memo───

ゲジゲジシダは日本全国に分布するシダ植物。細い葉（羽片）が左右に交互に出る様子をゲジゲジの脚に見立てたもの。

カナブン（図3-35）の仲間には全身が真っ黒のクロカナブンや、緑色のアオカナブンという種もいます。なのに、ドウガネブイブイの和名がドウカナブンにならなかったのは、よく見ればドウガネブイブイとカナブンは

図3-35　カナブン

違うグループだとわかるからかもしれません。また、成虫の食べものも、カナブンが樹液なのに対し、ドウガネブイブイは木の葉。飛び方も、カナブンは鞘翅を閉じたまま後翅を広げて飛びますが、ドウガネブイブイは鞘翅も後翅も広げて飛びます。

　ちなみに、江戸時代中期に出版された『和漢三才図会』[※9]では、「蚉蟊（ぶんぶんむし）」という見出しでハエのようなもの[※10]を紹介しています。また、異体字の「蚊（か）」も別項目で紹介されており、こちらはいまと同じくカの意味です。

● 地名由来の畳語

　おそらく一度聞いたら忘れないであろう、ドピンドピンメダカ（図3-36）という名前のメダカがいます。これも畳語名で、生息している川の名前に由来したものです。このメダカは、日本人の研究者らがインドネシアのスラウェシ島中部のドピンドピン川で捕獲した個体を元に記載しています。ちなみに、学名の種小名も地名由来です[※11]。

Oryzias dopingdopingensis Mandagi, Mokodongan, Tanaka & Yamahira, 2018
　ドピンドピンメダカ

memo

ドウガネエンマムシという黒銅色の金属光沢を持つ甲虫もいる。そして同属には、それによく似たニセドウガネエンマムシという甲虫もいる。

図3-36　ドピンドピンメダカ

　地名が元になった畳語名の生きものには、ポンポンメクラチビゴミムシという昆虫もいます。こちらは海外の地名ではなく、なんと日本の山。京都と大阪の府境にある標高679mのポンポン山[12]で、タイプ標本が採集されたことに由来します。ただし、ポンポンメクラチビゴミムシの種小名は、残念ながら「*ponponensis*」ではなく、「小さい」を意味する「*parvus*」です。

Trechiama parvus S. Uéno, 1980　　ポンポンメクラチビゴミムシ

※1　フアン・イグナシオ・モリーナはチリ出身の博物学者。

※2　原題は『Saggio sulla Storia Naturale del Chili』。

※3　地域によって、「kurukuru」や「Toró」とも呼ばれている。

※4　その地域では、当たり前に見られる種。ただし、近年は温暖化の影響で、同属（*Anomala*）のアオドウガネが分布を北方に拡大しており、東京ではドウガネブイブイを見かけなくなってきているように思う。

※5　「信頼できる媒体において未だ発表されたことがないものを指す」というウィキペディア用語。

※6　インターネット上では「銅鉦蚉蚉」という表記も多いが、甲虫学者の中根猛彦博士は「銅金蚉蚉（銅金蚉々）」としている。鉦はもともと銅製なので、わざわざ「銅鉦」という表現をあまりしない。しかも、本来の読みは「ドウショウ」なので、「銅鉦蚉蚉」は当て字だと思われる。

銅鉦と撞木

memo

シュモクザメの名は、頭部の形が鉦を叩く「撞木（しゅもく）」に似ていることから。また、英名の「hammerhead shark」は、これをハンマーに見立てたもの。

※7 ドウガネブイブイはスジコガネ亜科、カナブンはハナムグリ亜科なので、分類学的には「銅色をしたカナブン」ではない。

※8 コウチュウ目に特徴的な硬い前翅のこと。コウチュウ目のことを鞘翅目とも呼ぶ。

※9 寺島良安によって編纂された百科事典。

※10 「蠅の属。形、蠅のごとくして、大きく円く肥え、黄黒色なり。」と書かれている。ハエの仲間であり、形はハエのようだが、より大きく丸く太り、黄黒色だという。しかし、ハエでもアブでもないらしい（「蠅」「虻」は別項にある）。

※11 「ensis」は地名を表すラテン語の語尾。ラテン語の地名語尾には、ほかにも「ensis」の中性形である「ense」や「anus」「inus」「icus」などがある。

※12 ポンポン山の山頂には、「この山は正しくは加茂勢山といいますが、標高679メートルの頂上に近づくにつれて足音がポンポンとひびくことから通称ポンポン山と呼ばれています。」と書かれた案内板がある。しかし、なぜ足音がポンポンとひびくのかは不明。

(mini コラム) **ポンポンギクはピンポンマム？**

　ポンポンギクというのは、チアガールが手に持って振る「ポンポン（玉房）」のような形に咲く、キクの園芸品種の総称。これは英名の「pompon mum」を訳したものですが（「mum」はキク属（Chrysanthemum）の短縮形）、英語ではこれを「cushion mum（針山ギク）」と呼ぶのが一般的です。

　日本でも「クッションマム」や「ピンポンマム」の名で出回ることがありますが、「ピンポンマム」というのは本来なら間違い。「ポンポンってなんだ？」「ピンポン玉のことか！」という勘違いから広まった呼称のようです。

　ちなみに、ポンポンギクと同じような球形の花をつける、ポンポンダリアという園芸品種もありますが、ダリアもキク科の近縁種です。

ポンポンギク

間違ってつけられた名前

● 食器を噛る五器噛

　生きものの名前には、間違ってつけられたものが定着してしまうこともあります。なかでも有名なのは、ゴキブリです。

　1712年に完成した『和漢三才図会』を見ると、「蜚蠊」に熟字訓の「あぶらむし」[※1]と音読みの「フイレン」という2つのふりがながつけられていました[※2]（**図3-37**）。この本によれば、蜚蠊というのは以下のような虫です。

　　古いかまどのあいだで生まれる
　　大きさは5〜6分（1.9〜2.27cm）
　　翅はあるが、あまり飛ばない
　　歩くのはとても速い
　　赤褐色で、そのにおいや色が油のようなため「油虫」と名づけられた
　　夜は隠れており、昼に出てくる
　　数百の群れをなし、卵鞘を尾につけたまま歩く
　　喜んで飯を食べ、黒い糞で物を汚す、蠅と同じく憎むべきもの
　　油紙に寄ってくるので、古い傘の内側に集まったのをまとめて捕えて捨てる
　　踏み殺しても、頭を潰さなければ生き返る

　そして、「蜚蠊」の項目の中には、別枠で以下のような「五器噛（五木加布里）」の説明があります（**図3-37**）。「五器（御器）」というのは、「食器」を意味する言葉です。

　　油虫が年をとったもので、数はあまり多くない
　　大きさは1〜2寸（3.79〜7.58cm）

━━━━━ **memo** ━━━━━━━━━━━━━━━━━━━━━━━━━━━━━━━━

アライグマ科のキンカジューは、漢字で書くと「金華獣」ではない。キンカジューはもともと北アメリカ先住民の言葉で、イタチ科のクズリを指していたが、フ

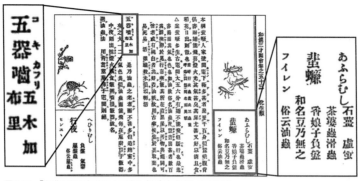

図3-37 『和漢三才図会 第五十三巻』（寺島良安 編、1712年）

出典：国立国会図書館

> においや色は油虫に似ているが、よく飛ぶ
> つねに台所にいて、食器に隠れている
> 夜になると出てきて飯を盗み食いする
> 食器を嚙るのでこの名がある

　つまり、一般的にはゴキブリのことを「アブラムシ（油虫）」と呼んでおり、一部の老齢個体のみが「ゴキカブリ（五器嚙）」だったようです。ただし、アブラムシの大きさが1.9〜2.27cmなのに対し、ゴキカブリは3.79〜7.58cm、アブラムシはあまり飛ばないけど、ゴキカブリはよく飛ぶ、アブラムシは昼行性なのに、ゴキカブリは夜行性と、相違点も少なくありません。

　『和漢三才図会』が成立した1712年当時、屋内に入ってくるゴキブリは、在来種のヤマトゴキブリだったはずです（図3-38）。しかし、『和漢三才図会』を編纂した寺島良安が暮らす大阪には、18世紀に外来種のクロゴキブリが入ってきたとされています[3]（図3-39）。そのため、もしかするとゴキカブリの正体は、新しく登場した、大型のクロゴキブリだったのかもしれません[4]。また、ヤマトゴキブリのメスは翅

ランスの研究者が誤ってこの動物にあててしまった。

図3-38　ヤマトゴキブリ
メスなので翅が短い。

図3-39　クロゴキブリ
ヤマトゴキブリより体長が大きい。

が短く飛べませんが、オスは翅が長くクロゴキブリに似た姿です。そのため、ヤマトゴキブリのメスと幼虫がアブラムシ、オスがゴキカブリだった可能性もあります。しかし、これらのゴキブリは基本的に夜行性なので、「夜は隠れており、昼に出てくる」というアブラムシの生態は不可解です。

　このように、『和漢三才図会』ではアブラムシとゴキカブリを区別していましたが、一般にはゴキカブリの名は知られたものではなかったようです。にもかかわらず、明治時代になると、ゴキカブリは学術用語として日の目を見ます。1884年に出版された『生物学語彙』※5において、分類名「Blatta」の訳語に「蜚蠊属（ゴキカブリ）」が採用されたのです。ところがここで、「脱字」※6が起こります。分類名「Blatta」の項目では「蜚蠊属（ゴキカブリ）」と正しくふりがなが振られているのに、一般名「Cockroach」の項目では「蜚蠊（ゴキブリ）」と「カ」が抜けていたのです（**図3-40**）。

　当時、ゴキカブリという名前が一般に知られていたのなら、『生物学語彙』の「ゴキブリ」が脱字だと誰かが気づいたはずです。しかし、1889年に出版された『中等教育動物学教科書』※7や、1898年に出版された『日本昆蟲學』※8という教科書に、「ゴキブリ」という誤った読みが受け継がれています。これはつまり、江戸時代から明治時代に

memo
東南アジアに広く分布するカニクイザル（英名 crab-eating macaque）は、発見者がたまたまカニを食べていた個体を見たことからつけられた名前。しかし、

246

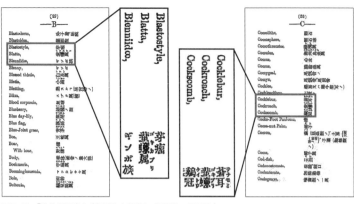

図3-40 『生物学語彙』（岩川友太郎 編、集英堂、1884年）

出典：国立国会図書館

なっても、ゴキブリはアブラムシと呼ばれており、ゴキカブリという名称はほとんど知られていなかったということでしょう。それなのに、『中等教育動物学教科書』『日本昆蟲學』という一流の研究者の教科書で「ゴキブリ」が採用されたため、いつのまにか「あの虫」の名称がゴキブリになってしまったようです。

●誤読が原因でホンソメワケベラに

大型魚の体表や口の中を掃除することで有名なホンソメワケベラ（**図3-41**）は、「誤読」が原因で和名のつけられた魚です。同属のソメワケベラよりも体が細いので、「ホソソメワケベラ（細染分倍良）」とされるはずが、手書き文字の読み間違いで「ホンソメワケベラ（本染分倍良）」

図3-41　ホンソメワケベラ（手前）とコクテンアオハタ

カニクイザルの主食は植物で、地域によってはまったくカニを食べない。

になったのだといわれています。これはまるで、「クリリン」を間違えて「クソソ」と読んでしまったようなものですね※9 ソメワケベラとホンソメワケベラの学名を、以下に示します。

Labroides bicolor Fowler and Bean, 1928　ソメワケベラ
Labroides dimidiatus Valenciennes, 1839　ホンソメワケベラ

ソメワケベラの種小名「*bicolor*」はラテン語で「2色の」を意味し、前後に色分けされた体色に由来します。一方、ホンソメワケベラの種小名「*dimidiatus*」はラテン語で「2つに分ける」を意味し、体の中心を前後に走る黒い線にちなんだものです。つまり、どっちも「染め分け」にふさわしいので、結果的に、日本近海でより観察しやすいホンソメワケベラが「ホン」でよかったのではないでしょうか。ちなみに属名の「*Labroides*」は、「ベラに似たもの」という意味です。

●北海道にしかいないトウキョウトガリネズミ

体長4.5〜4.9cm、体重1.5〜1.8gしかないトウキョウトガリネズミ（口絵3-16）は、世界最小級の哺乳類です※10。名前からすると東京に生息していそうですが、かれらの生息地は東京から遠く離れた北海道です。なぜこんな名前になったのかというと、最初の個体を採集したホーカー※11が、標本ラベルに「Yezo（蝦夷）」と書くべきところを、誤って「Yedo（江戸）」としてしまったからだといわれます※12。

外国人にとって、日本の地名を正確にアルファベット化するのは難しいので、誤記は仕方のないことでしょう。でも、和名はいくらでも変更できるのに、改められないのは不思議です。このエピソードもふくめて、トウキョウトガリネズミの名がよく知られているからなのか。それとも、ホーカーの日本での足取りが不明なため、本当に東京で採集された可能性があるからなのか……。ちなみに、トウキョウトガリ

●memo
産卵管がウマの尾のように長いウマノオバチの学名は「*Euurobracon
yokahamae*」。この種小名は横浜（Yokohama）のつづりを誤ったものだといわ

ネズミは独立種ではなく、ユーラシアにも生息するチビトガリネズミの亜種という扱いです。

Sorex minutissimus Zimmermann, 1780
　　チビトガリネズミ
Sorex minutissimus hawkeri Thomas, 1906
　　トウキョウトガリネズミ

●地名の読み間違いでスチーフンイワサザイ

　それまで和名のなかった日本以外の地域の鳥類に、あますことなく和名をつけたのは山階芳麿博士です。1986年に出版された『世界鳥類和名辞典』には、近代の絶滅種をふくむ9,021種の、学名、和名、英名が掲載されています。ものすごい業績です。そのおかげで、動物園などで外国の鳥を展示する際に、表記を統一することができます。

　ただし、膨大な項目を掲載しているので、誤記っぽいものもあります。なかでもよく知られているのが、スチーフンイワサザイです。スチーフンイワサザイはニュージーランドに生息していた飛べない鳥。飛べない鳥というと、ダチョウやペンギンのように大型のものが多い印象ですが、スチーフンイワサザイは全長10cmしかないスズメ目の小鳥でした。そのため、人間（マオリ）によってニュージーランドに陸上哺乳類（ポリネシアネズミ）が持ち込まれると、簡単に狩られてしまい、姿を消したのです。

　ところが、南島と北島のあいだにある無人島のスティーブンズ島では、スチーフンイワサザイが生き残っていました[13]。それが、この鳥の英名「Stephens island wren」の由来です。間違いやすいのですが、「Stephens」の発音は「stiːvənz」なので、「スティーブンズ（スチーブンズ）」と濁ります。しかも、「Stephens」は人名[14]で、「Stephen's（スティーブンの）」ではありません。そのため、この鳥の名前は島の

れる。ただし、語尾の「e」はラテン語化に伴うものなので誤記ではない。

表記に合わせて、スティーブンズイワサザイとするのが妥当でしょう。

　これは誤記というよりも、英語の誤読が原因ですね。しかし、『世界鳥類和名辞典』の影響は絶大なため、やや発音のしにくいスチーフンイワサザイが、いまでも標準和名として使われています。ちなみに、拙著『わけあって絶滅しました。』では、山階博士に申しわけなく思いながらも、スティーブンイワサザイという別名を採用しました。スティーブンズイワサザイにしなかったのは、そのような和名を採用している本が見つからなかったからです。やはり、前例のない名前を使うのはためらわれます。

●英名と学名が違うガビアル

　ガビアル（口絵3-17）というのは、口先が非常に細長いワニで、現生では唯一のガビアル科に属します[※15]。その名前の由来は、生息地のインドで使われている壺「ガーラ（ghara）」です。ワニのオスは繁殖期に唸り声を上げますが、ガビアルは口の幅が狭く反響しにくいせいか、オスの鼻の先に壺のようなふくらみが発達します。このふくらみで声を響かせて、魅力的な唸り声を出すのです。

　この「ghara」に接尾辞「ial」をつけて形容詞化したのが「gharial（ガリアル）」。これは「壺のような」という意味で、オスの鼻先に壺のようなふくらみのある、このワニの英名になりました。

　では、なぜガリアルがガビアルになったのかというと、誤記が原因のようです。手書きの「v」と「r」は見分けにくいため、オッペル[※16]が属名を記載する際に、本来は「*Garialis*」[※17]と書くべきところを「*Gavialis*」としてしまったのでしょう。しかし、学名の誤記は変更することができません。そのため、学名は「*Gavialis*（ガビアリス）」ですが、英名は本来の「gharial（ガリアル）」のまま。ただし、和名は学名に基づいた「ガビアル」を採用しているという、ちくはぐな状況になっています。

---

memo

ペンギンとはもともと、北大西洋に生息していたオオウミガラス（*Pinguinus impennis*）を指していた。それがのちに、南半球で似たような姿と配色の鳥が

● 間違えられた
フォッサとファナロカ

図3-42　フォッサ

マダガスカルで最大の肉食哺乳類であるフォッサ（口絵3-18、図3-42）。近年は日本でも上野動物園で見ることができるようになりました。フォッサはマングース科に近縁のマダガスカルマングース科に属しますが、同じ科にはマダガスカルで2番目に大きな肉食哺乳類のマダガスカルジャコウネコがいます。この2種の学名は以下のとおりです。

Cryptoprocta ferox Bennett, 1833
　　フォッサ（英名：fossa）
Fossa fossana (Müller, 1776)
　　マダガスカルジャコウネコ（英名：Malagasy civet、fanaloka）

　奇妙なことに気づいたでしょうか。フォッサに与えられるべき学名が、マダガスカルジャコウネコにつけられています。マダガスカルでは、フォッサは「フォッサ（fossa）」、マダガスカルジャコウネコは「ファナロカ（fanaloka）」と呼ばれていましたが、ミュラー[18]はマダガスカルジャコウネコの現地名がフォッサだと勘違いしてしまったようです。それなのに、英名には「fossa」や「fanaloka」が使われており、属の和名も「*Cryptoprocta*」がフォッサ属、「*Fossa*」がファナロカ属という奇妙なことになっています。
　ちなみに、「*Cryptoprocta*」というのはギリシャ語で「隠れた肛門」を意味し、肛門腺の形状を表したもの、「*ferox*」は「獰猛な」という意味です。

発見されると、そちらもペンギンと呼ばれるようになる。そして、オオウミガラスが絶滅したいまでは、南半球のペンギンが真のペンギンになってしまった。

●学名が入れ替わった日本の鳥

　ほかの生きものに名前が使われてしまった例は、日本の鳥にもあります。それが、サギ科のゴイサギとミゾゴイです。

　Nycticorax nycticorax（Linnaeus, 1758）　ゴイサギ
　Gorsachius goisagi（Temminck, 1835）　ミゾゴイ

　ミゾゴイの種小名が「ゴイサギ（goisagi）」になっていますね。ただし昔は、ミゾゴイやササゴイ、ヨシゴイ、サンカノゴイなど、ゴイサギに体型が似ている鳥はまとめてゴイサギと呼ばれていたようです。ミゾゴイという和名の由来も「沢や溝にいるゴイサギ」なので、この学名は完全な間違いとはいえないかもしれません。

　ただし、以下は完全な間違いです。

　Larvivora akahige（Temminck, 1835）　コマドリ
　Larvivora komadori（Temminck, 1835）　アカヒゲ

※ともに（口絵3-19）

　この2種はどちらもヒタキ科のコマドリ属（*Larvivora*）に分類され、シーボルトが採集した標本をもとに、テミンクが『新編彩色鳥類図譜』※19で記載しています。おそらく、テミンクは同時に作業していたので、単純に間違えてしまったのでしょう。

　ちなみに、アカヒゲの羽毛は、頭から背にかけて赤茶色ですが、ひげに相当する部位（顔から胸）は黒です。なのに、なぜクロヒゲではなくアカヒゲなのかというと、背が赤いことから「赤い毛」と呼ばれていたのを、「赤ひげ」と間違えたのだといわれています。

---

memo

イチョウの名は、中国名の鴨脚（イーチャオ）に由来する。この中国名は、イチョウの葉の形が水掻きのあるカモの足に似ていることから。種小名の

● イチョウは卑猥(ひわい)？

裸子植物のイチョウは、生きた化石と呼ばれる樹木です。イチョウ綱は中生代に栄えた植物で、現在はたった1種しか生き残っていません。そんなイチョウの学名は、和名をもとに記載されています。野生のイチョウがどこで生き残っていたのかわかっていませんが、少なくとも中国では11世紀から栽培されており、日本にも平安時代までには中国からもたらされていたようです[20]。

イチョウは漢字で「銀杏」と書きますが、かつての日本ではこれを音読みして「ギンキョウ」とも呼ばれていました。江戸時代に来日したケンペル[21]は、日本滞在中に『訓蒙図彙』[22]という図鑑を入手しており、この図鑑に日本語の発音をメモしています。そしてそこには、「ギンキョウ」のスペルが「ginkgo（ギンコゥ）」と書かれていました。これは本来の発音とはだいぶ異なるため、ケンペルは「ginkjo（ギンキョー）」あるいは「ginkio（ギンキォ）」とすべきところを書き誤ったのだと考えられています。

Ginkgo biloba L. (1771)　イチョウ（英名：ginkgo）

その後、リンネ[23]によって上記の学名が記載されましたが、リンネは命名に際してケンペルがイチョウを紹介した『廻国奇観』を参考にしています。こうして、ケンペルの「誤った」つづりが、いまも世界中で使われているというわけです。とはいえ、外国人が日本語の発音を正確にアルファベット化するのは難しいもの。これを一概に誤りだとはいえないような気がします。

ちなみに、アカボウクジラ科のイチョウハクジラには、歯が2本しかありません。しかし、その2本がとても大きく、「イチョウの葉」のような形をしています。そのため、学名にも英名にも「ginkgo」が使われており、種小名の「*ginkgodens*」はそのまま「イチョウの歯」

「*biloba*」は、ラテン語で「2つの裂片」を意味し、2つに裂けたように見える葉の形を表したもの。

図3-43　イチョウの葉（左）と東京都のシンボルマーク

という意味です。

Mesoplodon ginkgodens
イチョウハクジラ（英名：ginkgo-toothed beaked whale）

　イチョウの一般的な英名は「ginkgo」ですが、「maidenhair tree」[24]という別名もあります。これはイチョウの葉が、「（手入れをされていない）乙女（maiden）の陰毛（hair）」の形に似ているためです。

　ちなみに、「東京都シンボルマーク」はこのイチョウの葉がモチーフ（**図3-43**）、「東京都紋章」は女性器をシンボル化したものに似ているといわれることがあります。ここで、「女性器とその陰毛をモチーフにするなんて、東京都は卑猥だ」と思ったあなた、安心してください。東京都によれば、「東京都シンボルマーク」はTokyoの頭文字「T」を図案化したもの、「東京都紋章」は太陽を図案化したもので、女性器とはまったく関係がないそうです。

[1]　現代仮名遣いでは「あぶらむし」。また、植物の汁を吸うカメムシ目のアブラムシも、江戸時代にはすでにこの名で呼ばれていた。こちらのアブラムシの語源は、草木にびっしりついている虫を子どもが手にとって潰し、整髪油のように髪に塗って遊んだことに由来するという。また、

memo
オウギハクジラの属名「*Mesoplodon*」は、ギリシア語で「中央に備えた歯」を意味する。イチョウハクジラをふくむオウギハクジラ属の多くは、大きな歯が下顎の

甘い汁をアリに与えて（外敵から守ってもらうために）養うことから、「アリマキ（アリ牧場）」という別名もある。

※2　この漢字は中国語からの借用で、音読みのフイレンも中国語に由来する（現代中国語の発音は「フェイリアン」）。現代日本語では「ヒレン」と読み、かつてはゴキブリ目を「蜚蠊目（ひれんもく）」と呼んでいた。

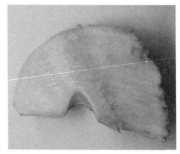

図3-44　オウギハクジラの歯

※3　クロゴキブリは中国南部原産と考えられているが、縄文時代にはすでに九州に持ち込まれており、18世紀には港から近畿地方に侵入していたらしい。

※4　ヤマトゴキブリは体長2〜2.5cm、クロゴキブリは体長2.5〜3cm。

※5　編者は動物学者の岩川友太郎。

※6　文字の抜け。編者の誤記か印刷会社のミスか不明だが、校正の際にも気づかれなかったようだ。

※7　著者は動物学者の飯島魁（いさお）。「飛蠊（ゴキブリ）（あぶらむしトモ云フ）」と書かれている。

※8　著者は昆虫学者の松村松年（しょうねん）。「蜚蠊」には「ゴキブリ」「アブラムシ」の2つのふりがながある。また、チャバネゴキブリは「ちやばねあぶらむし」の名で紹介されている。

※9　しばしば、漫才協会の塙宣之（はなわのぶゆき）会長が誤読する。

※10　最小の哺乳類の候補には、ほかにキティブタバナコウモリ（体長2.9〜3.3cm、体重2g）とコビトジャコウネズミ（体長3.5〜4.8cm、体重2.5g）がいる。『世界珍獣図鑑』（今泉忠明著）では、哺乳類は寒い地域に生息するものほど体が大きくなるので、3種の中で最も寒い地域に生息するトウキョウトガリネズミが、理屈的には最も小さいとしている。

※11　リチャード・マクドネル・ホーカーはイギリス出身の動物採集家。

※12　ホーカーは日本で採集したトウキョウトガリネズミの標本に「Inukawa, Yedo」というラベルをつけているが、これは「Mukawa, Yezo（北海道むかわ町）」の誤りではないかと推測されている。ちなみに、標本を入れた瓶のラベルは「Mukawa, Yedo」。

※13　ただし、ヨーロッパからの移民が持ち込んだネコによって、スティーブ

中央に2本しかない（**図3-44**）。

ンズ島の個体群も狩られてしまい、1895年には絶滅したと考えられている。記載されたのはその前年の1894年。

 Xenicus lyalli (Rothschild, 1894) スチーフンイワサザイ

※14 この島を発見したイギリスの探検家キャプテン・クックが、イギリス海軍本部の書記官フィリップ・スティーブンズに献名したもの。

※15 長らく、ガビアル以外のワニはすべて、クロコダイル科またはアリゲーター科に属するとされてきた（右のminiコラムも参照）。

かつてイギリス人に、ワニ目の科名を使った言葉遊びを教えてもらったことがある。

 See you later, alligator. じゃあね、アリゲーター
 After a while, crocodile. また今度ね、クロコダイル
 Where is a fuckin' gharial? ガビアルの野郎はどこだ？

上記のあいさつにおける、「アリゲーター」は「later」、「クロコダイル」は「while」と脚韻を踏んだものでとくに意味はない。しかし、あえてそこに着目し、どちらにもふくまれないガビアルの存在を指摘するという、分類を意識したスノッブな笑い。

※16 ニコラウス・ミヒャエル・オッペルはドイツの博物学者。1811年にガビアルを新属の*Gavialis*に移している。原記載者はドイツの博物学者ヨハン・フリードリヒ・グメリン。

 Gavialis Oppel, 1811
 Gavialis gangeticus (Gmelin, 1789)

※17 「is」はラテン語の格変化。

※18 フィリップ・ルートヴィヒ・スタティウス・ミュラーはドイツの動物学者。

※19 原題は『Nouveau recueil de planches coloriees』。1820 〜 1838年に全5巻が出版された。

※20 イチョウがいつ伝来したのか不明だが、1219年に（源実朝を暗殺した）公暁が隠れていたというイチョウの大木が、神奈川県の鶴岡八幡宮に存在していた（2010年に倒壊）。

※21 エンゲルベルト・ケンペルはドイツの医師、博物学者。1690 〜 1692年に、オランダ商館付きの医師として出島に滞在していた。帰国後の1712年、アジア諸国について書かれた『廻国奇観』を出版し、そこで日本の植物にも触れている。

※22 本草学者の中村惕斎によって、1666 〜 1695年に出版された百科事典。生物のみならず、天文や地理なども紹介している。

---

memo

外来種のハキダメギクに、和名をつけたのは牧野富太郎。たまたま掃き溜め（ごみ捨て場）に生えているのを見つけたため、このような名前がつけられた。

※23 スウェーデンの博物学者カール・フォン・リンネ。

※24 単に「maidenhair」だと、シダ植物のアジアンタム属（*Adiantum*）を指すことが多い。アジアンタムの葉もイチョウに似た扇形をしている。

mini コラム　ガビアルとマレーガビアル

　ガビアル科のガビアル（別名インドガビアル）は、魚を専門に食べるワニです。ほかのワニに比べて口が非常に細いので、口を振り回して魚を捕まえるときに水の抵抗が小さくなるという利点があります。

　そしてもう1種、ガビアルの名を持つのが、マレーガビアルです。ただし、こちらは伝統的にクロコダイル科に分類され、ニセガビアルあるいはガビアルモドキという別名があります（英名false gharial）。どちらも口が細いのは、魚を主食とするため、たまたま似たような姿に進化したのだろうと思われてきました。

　ところが、近年の遺伝子解析により、ガビアルとマレーガビアルはともにガビアル科に分類されることが多くなってきました。ただし、マレーガビアルは*Tomistoma*属なので、真のガビアル（*Gavialis*属）ではありません。

ガビアル（インドガビアル）

マレーガビアル（ニセガビアル）

下品な名前

●イスズミはウンコタレ

　生きものの名前には、ちょっと眉をひそめてしまうようなものもあります。とくに魚の地方名には、下品なものが少なくありません。たとえばイスズミ科のイスズミは、釣り上げられたときに大量の糞を出すことから、「ウンコタレ」「クソタレ」「ババタレ」[※1]などと呼ばれます。

　それに対し、「ションベンタレ」と呼ばれるのが、タカノハダイ科のタカノハダイ。身には強烈な磯臭さがあり、それが尿のようなにおいに感じられるのが名前の由来です。地元の人たちは食べますが、ほかの地域から来た婿は食べたがらないので、「ムコナカセ」という別名もあります。鋭い毒棘を持つアイゴ科のアイゴも、同じような磯臭さのある魚です。そのため、「バリ」「イバリ」[※2]「ネションベン」という別名があります。

　また、硬骨魚類の多くは、メスの生んだ卵にオスが精子を放出するため、外性器（ペニス）は必要ありません。しかし、アナハゼはメスの体内に精子を送り込む「交尾」をするため[※3]、オスはわりと大きなペニスを隠し持っています[※4]。これは硬骨魚の中ではかなりめずらしいので、アナハゼには「チンポダシ」「チンボハゼ」「マラスイ」[※5]などの別名がつけられたようです。

　さらに、ハゼという名も、ペニスに由来するという説があります[※6]。古くはペニスを「おはせ」と呼んでおり、ハゼの形やサイズ感がヒトのペニスのようであるというのが、名前の由来だそうです。この説が正しければ、チンボハゼは「ペニス＋ペニス」の「同義語反復（トートロジー）」になります。ちなみに、アナハゼはスズキ目ハゼ科ではなく、カサゴ目カジカ科なので、分類学的にはハゼではありません。

memo
針葉樹のイヌマキは、赤く熟した球形の実がサルの睾丸に似ているため、サルノキンタマという別名がある。

● どこの国でも継母はいじわる？

タデ科の一年草であるママコノシリヌグイは、漢字で「継子の尻拭い」と書きます。これは、継子（前夫や前妻の子）が排便をしたあと、おしりを拭うのにちょうどいいという意味。ママコノシリヌグイの葉の裏には細かいトゲが生えていますが、葉の表にはトゲがありません。そこで継親は、トゲのない葉の表に自分の手を当てて継子のおしりを拭けば、大便を拭い去ると同時に肛門を傷つけることができて「一石二鳥」というわけです。

いじわるな継母といえば、西洋の『シンデレラ』が有名ですね。しかし、この植物のネーミングから想像するに、本邦でも「継子は虐げるもの」という共通認識があったことがうかがえます。ちなみに、ママコノシリヌグイは別名ではなく、標準和名です。

● 本当に臭いヘクソカズラ

ヘクソカズラ（図3-45）はアカネ科の多年草で、ほかの植物に巻きつく蔓性です。名前が示すとおり臭いことで有名なのですが、近寄ってもまったくにおいません。でも、葉を千切って揉むと、青臭さの奥から揮発性の悪臭がやってきます。このにおいの成分は、屁や糞にもふくまれるメタンチオールなので、「屁糞蔓」というのは的確なネーミングだといえるでしょう。英名の「skunk vine」も、この臭さに由来するもので、「スカンクの蔓草」を意味します。

図3-45　ヘクソカズラ

━━ memo ━━━
ツツジ科のナツハゼには、キンタマハジキ、ウシノキンタマなどの別名がある。
ブルーベリーによく似た真っ黒な実を、睾丸に見立てたものらしい。

正直にいって、私はこの草をそこまで臭いとは思っていませんでした。ドクダミなんかは近寄っただけで独特のにおいを感じますが、ヘクソカズラはとくににおわないですからね。しかし、この原稿を書くにあたり、ヘクソカズラの葉をよく揉んで思いっきり吸い込んでみたところ、あまりの臭さに気分が悪くなりトイレに駆け込みました。そこで再認識したのですが、やはりヘクソカズラよりも人糞のほうが明らかに臭いですね。

そんなヘクソカズラを上回る、とんでもない名前を持つ植物がいます。それが、キジカクシ科のクサスギカズラです。ただし、この名前の意味は、「臭過ぎ蔓」ではなく「草杉蔓」。スギのような細い針状の葉をつける草で、ほかの植物に巻きつく蔓性のため、この名があります。なんだか、肩透かしを食らわされた気分ですね。

● 卑猥な学名？

先ほどのクサスギカズラの学名は、*Asparagus cochinchinensis* といいます。属は食用のアスパラガス（オランダキジカクシ）と同じクサスギカズラ属（*Asparagus*）ですが、種小名の「*cochinchinensis*（コチンチンエンシス）」の響きを卑猥だと思う多感な男子中学生マインドの方もいるようです[※7]。

しかし、もちろんこれは、「小さなチンチン」という意味ではありません。フランス植民地時代におけるベトナム南部の呼称であった「Cochinchine（日本名はコーチシナ）」に、地名を表すラテン語の語尾「ensis」をつけたものです。そのため、ベトナム南部に分布する生きものには、「*cochinchinensis*」という種小名をつけられたものが結構います。

図3-46　ウメボシイソギンチャク

memo

イソギンチャク（**図3-46**）を漢字で書くと「磯巾着」。触手を収納して口をすぼめた姿が、巾着に似ていることからこのような名がつけられた。また、表面

Hirundapus cochinchinensis　クロビタイハリオアマツバメ

Chloropsis cochinchinensis　アオバネコノハドリ

Rottboellia cochinchinensis　ツノアイアシ

Symplocos cochinchinensis　アオバノキ

Momordica cochinchinensis　ナンバンカラスウリ

Cudrania cochinchinensis　カカツガユ

Dalbergia cochinchinensis　ケランジィ

Excoecaria cochinchinensis　セイシボク（口絵3-20）

Blastus cochinchinensis　ミヤマハシカンボク

Helicia cochinchinensis　ヤマモガシ

Dracaena cochinchinensis　タイドラゴンツリー

Randia cochinchinensis　ミサオノキ

Centranthera cochinchinensis　ゴマクサ

　ちなみに、口絵3-20で紹介したセイシボクは、白い樹液に強い毒性があり、毒矢などにも利用されてきた樹木です。なので、白い樹液に由来した「精子木」かと思いきや、葉の表が緑（青）、裏が赤紫色であることから「青紫木」なのだそうです。

　また、「cochinchinensis」と似たような響きの学名を持つものに、カメムシ目ツノゼミ科のヨツコブツノゼミがいます。これはわりと有名な昆虫で※8、胸部背面にある角の先に、鈴のような瘤を4つ持つのが和名の由来です（カバーイラスト参照）。

Bocydium tintinnabuliferum Lesson, 1832　ヨツコブツノゼミ

　インターネットで検索すると、この学名を「ボッキディウム・チンチンナブリフェルム」と読み※9、「勃起したチンチンをなぶる（いじりまわす）なんて最高！」と喜んでいる人たちが相当数います。しかしこの

がぬるぬるしており、指を入れると吸い込まれるような感触があることから、イソツビやイソボボ（ともに「磯の女性器」の意味）という別名もある。

学名は、「*Bocydium*」が「小さくすばやいもの」、「*tintinnabuliferum*」が「鈴を持つもの」という意味で、体長5mmの小さな体と、すぐに跳ねて逃げる生態、そして背の突起の形状を表した至極まっとうなものです。

　ただし、種小名の「鈴」というのは、古代ローマで使われていた魔除けの鈴を指し、その名も「チンチンナブルム」といいます。これは、勃起した男性像に鈴をいくつか取りつけたもので、ドアなどに吊るせば悪霊が入ってくるのを防ぐとされていました。つまり、種小名の語源的には「勃起したチンチン像」に行き着くため、日本語の読みと符合します。とはいえ、記載者のレッソン[※10]が日本語に精通していたとも思えないので、これは偶然の一致でしょう。

　また、世界で最も大きな花[※11]といわれるサトイモ科のショクダイオオコンニャク（**口絵3-21**）の学名は、*Amorphophallus titanum* というもの。「*Amorphophallus*」は「形のない（＝無限の大きさの）ペニス」、「*titanum*」は「巨人」を意味します。つまり、天にそそり立つ巨大な花序を、ペニスに見立てたものです。ごくまれに、国内の植物園でも開花することがあるので、お近くで開花したときにはぜひ、「そそり立つペニス」を見に行ってみてください。

　スッポンタケ科のキノコ、スッポンタケの学名も、ちょっと卑猥な *Phallus impudicus* というもの。ショクダイオオコンニャクの属名にも使われている「*Phallus*」はラテン語で「ペニス」、「*impudicus*」は「恥知らず」を意味します。この「恥知らずなペニス」が表すのは、スッポンタケの形状です。笠が開く前のキノコの姿は、大なり小なりペニスに似ていますが、スッポンタケはとくにペニスっぽいため、このような学名がつけられました。

　それに比べると和名の「スッポンタケ」は、鼻先が尖ったスッポンの頭部（**口絵1-19**）に見立てたものなので、だいぶお上品ですね。また、スッポンタケはハエに胞子を運ばせるため、糞便のようなにおいを放

━━ **memo** ━━━━━━━━━━━━━━━━━━━━━━━━━━━━━━━━━━

有明海で食用とされているイシワケイソギンチャクの地方名は、ワケノシンノスという。これは「若者の尻の穴」を意味する言葉で、260ページのイソツビ

図3-47 プリアーポス 出典：Wikipedia

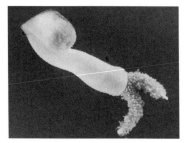

図3-48 鰓曳動物

ちます。英名の「stinkhorn（臭い角）」はそんなにおいを表現したものですが、中華料理ではスッポンタケを高級食材として扱うそうです。

かなりマイナーな分類群ですが、鰓曳動物門（プリアプルス門）の学名はPriapulida

図3-49 ユムシ

といいます。この門名は、ギリシャ神話における生殖の神プリアーポス（**図3-47**）に由来するもの。この神は巨大なペニスを露出した姿で知られるため、そこにラテン語の「ul（小さいもの）」をつけて、「小さなペニス」を意味します（英名：penis worm）。鰓曳動物（**図3-48**）は、円筒形の体の端に、陰毛のような尾状付属器を持つため、その姿がペニスに見立てられたようです。ほかにも海産の無脊椎動物には、半索動物門のギボシムシ類（英名：acorn worm）[12]や、環形動物門のユムシ類（英名：penis fish、**図3-49**）など、ペニスに似た姿の動物は少なくありません。

最後に女性器を1つ紹介。マメ科のチョウマメ（**口絵3-22、図3-50**）

やイソポポと同じ発想でつけられたもののようだ。女性器ではなく男性の肛門を採用したのは、この地域で衆道（男色）が盛んであったことの証だろう。

図3-50　チョウマメの花

図3-51　イヌノフグリの果実

の学名は*Clitoria ternatea*といい、これは「テルナテ島のクリトリス」を意味します。原産地であるインドネシアのテルナテ島では、花の形がクリトリスをふくむ女性器に似ていることから、現地でクリトリスを意味する「トゥラン(telang)」と呼ばれていました。それを記載者のリンネが、学名にも採用したようです。ちなみに英名は「butterfly pea」といい、和名はその直訳になっています。

※1　「ばば」は大便や汚物を意味する幼児語。
※2　「ばり」も「いばり」も小便のこと。
※3　ただし、メスの体内では受精せず、産卵のときに体内に保存しておいた精子で受精させる（体内配偶子会合型）。
※4　交尾のとき以外は、総排泄腔内に収納されている。
※5　「まら」はペニスのこと。仏教における修行の邪魔になるもの「魔羅」から転じた。
※6　ほかにも、水中を「馳せる」から、海岸を「跳ねる」からという説がある。
※7　ラテン語に忠実に読むなら「コキンキネンシス」。
※8　ツノミンという個体名でキャラクター化され、NHKで放送中の「ダーウィンが来た！」に毎週登場している。

---

memo

オオバコ科のイヌノフグリ（**図3-51**）は、微毛の生えた果実がイヌの陰嚢のように見えるため、このような標準和名がつけられた。

擬宝珠

※9　この読みはそれなりに定着しているが、ラテン語に忠実に読むなら「ボキディウム・ティンティンナブリフェルム」。

※10　ルネ＝プリムヴェール・レッソンはフランスの博物学者。1821～1823年に行われたコキーユ号の世界一周航海に、医師として乗船している。その際、セイロンヤケイやタイコブラ、アオリイカなど多数の標本を採集し、帰国後には記載も行った。

　　　Gallus lafayettii Lesson, 1831
　　　セイロンヤケイ
　　　Naja kaouthia Lesson, 1831　タイコブラ
　　　Sepioteuthis lessoniana Lesson, 1830　アオリイカ
　　　また、*Bocydium* 属の記載を行ったのはレッソンではなく、フランスの節足動物学者であるピエール・アンドレ・ラトレイユ。
　　　Bocydium Latreille, 1829

※11　花序および仏炎苞（ぶつえんほう）などの複合体。単体の花として世界最大なのは、ラフレシア科のラフレシア・アーノルディ（*Rafflesia arnoldii*）。

※12　擬宝珠（ぎぼし）（上の写真）とは、橋の欄干などに用いられる亀頭のような形の装飾物。ギボシムシの名は、先端の形が擬宝珠に似ていることに由来する。英名はこれを「ドングリ（acorn）」に見立てたものだが、「acorn」にはペニスという意味もある。

追加していったら、わけのわからないことに

●大きくて小さくて小さい？

　和名をつける場合には、グループ名の頭に修飾語を追加していくという方法が一般的です。しかし、グループの特徴と種の特徴が相反していると、「いったいどういうことなんだ」と混乱します。

　たとえば、マダガスカルのオオコビトキツネザルは、コビトキツネザルの中では大型の種であることを意味します。しかし、コビトキツネザルはキツネザルの中でも小型のグループなので、オオコビトキツネザルは体長が20cmくらいしかない極小のサルです。ほかにも、オオヒメゲンゴロウやオニヒメオキナガニも同じ構造の名前ですね。

　逆に、ヒメオオモズは、モズ科の大型種であるオオモズに比べ、やや小型の種であることを表しています。なので、日本のモズよりも、ヒメオオモズのほうがやや大きいくらいです。キノコのコオニイグチも同じ構造の名前ですが、甲殻類のオオコドモヒメシャコはワンランク上の混乱度。まず、全長30cmを超えるものもいるシャコ目の中で、小型のグループがヒメシャコ科（全長10cm以下）です。その中でも、とくに小型のグループがコドモヒメシャコ属（全長2cm以下）。そんな小型のグループの中でも、全長2cmを超えることがある大きな種が、オオコドモヒメシャコというわけです。

●スベスベなのに毛深い？

　混乱する名前は大きさだけではありません。たとえば、ケブカガニというカニは、ケガニとは比べものにならないくらい長い毛で覆われています。サンゴ礁に生息しているケブカガニは、この長い毛をまとうことで藻類に擬態しているようです。しかし、ケブカガニ亜科には、毛がほとんどないスベスベケブカガニという名前のものがいます。

──memo──
キク科のタビラコよりも大型の種がオニタビラコ。オニタビラコよりも小型の種がコオニタビラコ。そして、コオニタビラコ（標準和名）とタビラコ（別名）

じつは、ケブカガニ亜科でも、毛がボーボーなのはケブカガニくらいのもの。なのに、なぜスベスベケブカガニが「スベスベ」を強調されているのかというと、毛がほとんどないだけでなく、甲羅や脚の凹凸が少なく滑らかなためでしょう。

また、イトアシガニ科のカニは、一番後ろの1対の歩脚が、糸のように細く短く退化しているのが大きな特徴です。ところが、このグループにしては一番後ろの歩脚が立派なものもいて、アシブトイトアシガニと名づけられています。

● 矛盾するヘビ

まずは、硬骨魚類のウミヘビから。カワウミヘビはウミヘビ科の魚なのに、沖縄県の川で発見されたことから、矛盾するような名前がつけられました。また、同じウミヘビ科にはソラウミヘビという種もいますが、こちらは空ではなく海で暮らしています[1]。

そして、北アメリカから中央アメリカに生息するデカイヘビは、いかにも大きそうな名前ですが、全長30 cmほどの[2]小さなヘビです。では、なぜこんな名前がつけられたのかというと、学名が*Storeria dekayi*だから。種小名の「*dekayi*」とは、タイプ標本の採集者であるデ・ケイ[3]に献名されたものです。英名は「DeKay's brown snake」なので、デケイブラウンヘビ[4]としても良さそうですが、言葉の面白さを優先してデカイヘビとされたのでしょう。

● 有名な俗称、トゲアリトゲナシトゲトゲ！

コウチュウ目にはトゲアリトゲナシトゲトゲという、テレビ番組のタイトル[5]になるほど有名な昆虫がいます。まず、「トゲトゲ」というのは、トゲがたくさんあるハムシの仲間（トゲハムシ亜科）のことです。こうしたトゲは、捕食者から身を守るために進化したのだと考えられています。

は同じ種を指す。さらに、コオニタビラコは「春の七草」の1つでもあり、別名をホトケノザという。しかし、標準和名がホトケノザなのは、シソ科の植物。

ところが、日本に生息するトゲトゲの中には、トゲのない種も存在しました。これらは、イネ科の草の根本の隙間に潜り込むようになったため、トゲが邪魔になり退化したのだろうと考えられています。そのような、トゲトゲなのにトゲの退化したものが、「トゲナシトゲトゲ」です。

　さらに海外で[※6]、分類学的にはトゲナシトゲトゲなのに、鞘翅の後方にわずかなトゲを持つものが見つかりました。そこでそれらを、「トゲアリトゲナシトゲトゲ」と呼んだのです。

　以上のように、トゲトゲも、トゲナシトゲトゲも、トゲアリトゲナシトゲトゲも、種名ではなくトゲハムシ亜科の一群の総称です。しかも現在では、トゲトゲはトゲハムシ、トゲナシトゲトゲはホソヒラタハムシへと和名が変更されています。トゲアリトゲナシトゲトゲは日本に生息しないので、基本的に和名はありません。ただし、一部の書籍では、ベニモントゲホソヒラタハムシという和名で、*Chalepus* 属のトゲハムシを掲載しています[※7]。

　ちなみに、国立科学博物館の特別展「昆虫」では、*Oncocephala* 属のトゲハムシを「トゲアリトゲナシトゲトゲ」として展示していましたが、「この和名は『俗称』です。定まった種にあてられているものではありません。」という注釈つきでした。

※1　ソラウミヘビは黒と白の縞模様のある硬骨魚類のウミヘビ。英名「saddled snake eel（鞍のあるヘビウナギ）」にも、学名「*Leiuranus semicinctus*（尾のなめらかな・半分の帯）」にも、「ソラ」の要素はなく、語源は不明。同じく縞模様のある爬虫類のエラブウミヘビやクロガシラウミヘビに似ていることから、「虚海蛇（いつわりのウミヘビ）」なのかもしれない。
※2　最大サイズでも全長50cm程度。
※3　ジェームズ・エルズワース・デ・ケイはアメリカの動物学者。
※4　コブラ科のブラウンスネーク属（*Pseudonaja*）との混同を防ぐためか、デカイヘビをふくむナミヘビ科のほうは、ブラウンヘビ属（*Storeria*）

memo

コブスジコガネ科は、鞘翅にボコボコした瘤があるグループ。その仲間なのに瘤がないため、コブナシコブスジコガネと名づけられた種がいる。

と呼ばれる。ただし英名は、ブラウンスネーク属の種もブラウンヘビ属の種も「brown snake」。

※5　テレビ朝日で2021年3月から2022年9月まで『トゲアリトゲナシトゲトゲ』という番組が放送されていたが、番組の内容は昆虫と関係がない。

※6　東南アジアおよび南アメリカで見つかっている。

※7　この和名は*Chalepus* sp.（*Chalepus*属の未同定種）に与えられているので、種名ではなく属の総称だと思われる。

---

miniコラム **ウが難儀するからウナギ？**

　ウナギの体は長すぎて、鳥のウが飲み込むのに難儀するから「鵜難儀」。これは、古典落語の「薬缶」において、知ったかぶりのご隠居が披露した珍説です。

　このご隠居はほかにも、岩にシィー（おしっこ）をするからイワシ、群れをなして泳ぐと海が真っ黒に見えるからマグロ、泥から生じるからドジョウ、平たいところに眼があるからヒラメ、ヒラメの家来だからカレイといった説を語ってくれます。

　ちなみに、ウナギを食べたらバカにうまかったので、バカ焼きというようになりましたが、ひっくり返さないと焦げるのでカバ焼きになったそうです。

ウミウ

カワウ

長すぎる和名

●植物の最長はアマモの別名

　最後に、和名が長すぎるものを紹介します。最長の学名は、98ペー
ジで紹介した土壌細菌の73文字（属名10文字＋種小名63文字）でし
た。和名にそこまで長いものはありませんが、まずは植物から紹介し
ましょう。

リュウグウノオトヒメノモトユイノキリハズシ（21文字）
シロバナヨウシュチョウセンアサガオ（17文字）

　リュウグウノオトヒメノモトユイノキリハズシ（口絵3-23）とは、ジュ
ゴンの食草としても有名な、海に生える草「アマモ」の別名です。漢
字で書くと「龍宮の乙姫の元結の切り外し」、つまり「乙姫が髪を束
ねていた紐を切ったもの」という意味で、海に生える細長い草である
ことを表しています。

　次点となるシロバナヨウシュチョウセンアサガオは、ナス科の一年
草で、208ページで紹介したアメリカチョウセンアサガオと同属で
す[1]。名前の意味は、「白い花をつけるヨーロッパ原産のチョウセン
アサガオ」ということですね。

　ちなみに、最短の和名は、畳の材料となる草の「イ」。1文字だと
めちゃくちゃ発音しづらいので、別名の「イグサ」のほうが一般的で
すね。

　一方、動物にはおそらく1文字の種名を持つものはいません[2]。た
だし、青森の魚市場では、ホウボウ科のカナガシラを「イ」と呼ぶこ
とがあります。もともと「金頭」というのは、この魚の頭部が硬いこ
とからつけられた名前でした。それを同音の「仮名頭」と掛けて、平

---

memo

「龍宮」のつく海水魚には、リュウグウノツカイ（リュウグウノツカイ科）、リュ
ウグウハダカ（ギンハダカ科）、リュウグウノヒメ（シマガツオ科）、リュウグ

仮名の先頭にあたる「いろは」の「い」を、仲間内の符牒としているそうです。

●魚は英名をカタカナ化すると長くなる

続いては、魚を紹介しましょう。

トランスルーセントグラスキャットフィッシュ（21文字）（図3-52）
ドットアンドダッシュバタフライフィッシュ（20文字）
ウケグチノホソミオナガノオキナハギ（17文字）
ミツクリエナガチョウチンアンコウ（16文字）（口絵3-24）

上位の2種は、英名をカタカナ化したものです。このような和名は、標準和名のない外国産のものによく見られ、表記にばらつきがあることも少なくありません。その多くは、外国の魚を紹介するダイバーやアクアリストによって、暫定的につけられたものです。

名前の意味にも触れておくと、1位のトランスルーセントグラスキャットフィッシュは、「translucent（半透明な）＋glass（ガラス）＋catfish（ナマズ）」という意味です。トランスルーセントグラスキャットフィッシュをふくむナマズ科のKryptopterus属は、東南アジアの淡水域に生息する小型のナマズ。体がガラスのように透きとおっているのが名前の由来で、略して「グラスキャット」とも呼ばれます。

2位のドットアンドダッシュバタフライフィッシュは、南太平洋に生息するチョウチョウウオ科の海水魚です。体の側面を走る模様が、「.（ドット）」と「―

図3-52　トランスルーセントグラスキャットフィッシュ

ウベラギンポ（ベラギンポ科）などがおり、どれもなかなかの珍魚。ただし、リュウグウベラ（ベラ科）とリュウグウハゼ（ハゼ科）はわりと普通種。

（ダッシュ）」を組み合わせた「モールス符号」のように見えることから、英名は「dot and dash butterflyfish」といいます（**カバーイラスト参照**）。

　3位のウケグチノホソミオナガノオキナハギは、日本近海からは見つかっていない、インド太平洋に生息するカワハギ科の海水魚。これは標準和名の中では最長で、命名者の尼岡邦夫博士は、あえて魚類で最も長い和名にしようと思い、ミツクリエナガチョウチンアンコウよりも1文字長い名前にしたそうです。漢字では「受け口の細身尾長の翁剥」と書き、「口が上向きで、体が細く、尾びれが長い、下あごにおじいさんのようなひげのある、カワハギ」という意味になります。

　ミツクリエナガチョウチンアンコウは、熱帯から亜熱帯に生息するチョウチンアンコウ亜目の深海魚です。漢字では「箕作柄長提灯鮟鱇」と書き、「箕作佳吉博士に献名された、柄の長い誘引突起[※3]を持つ、チョウチンアンコウ」という意味になります。日本近海にも生息するため、古くから和名があり、長らく魚では最長の和名として君臨してきました。ちなみに、オスは極端に体が小さく、メスに噛みついて寄生生活を送る特徴的な生態から、拙著『ざんねんないきもの事典』でも取り上げています。ただし、この魚を掲載すると、ほかの生きものに比べて「種名の掲載スペース」[※4]が極端に長くなるので、レイアウトしにくいのが欠点です。

●コウモリとネズミが長い哺乳類

　哺乳類は、5種が同数で並びました。

ニューギニアヒメテングフルーツコウモリ（19文字）
ステッドファストテングフルーツコウモリ（19文字）
ニューカレドニアオナガフルーツコウモリ（19文字）
カリフォルニアオオミナガヘラコウモリ（19文字）
グランディディエリフデオアシナガマウス（19文字）

---
memo

最も長い鳥類の和名は、ハチドリ科のフェルナンデスベニイタダキハチドリとプエルトリコヒメエメラルドハチドリの17文字。

18文字や17文字のものもたくさんいましたが、上位に来るのはほとんどがコウモリ目とネズミ目でした。この2つのグループだけで、哺乳類の半分以上の種を占めるので、近縁種と区別するために地名や形態などの修飾語を重ねていくと、どうしても名前が長くなってしまいます。

　ちなみに、ステッドファストテングフルーツコウモリとニューギニアヒメテングフルーツコウモリは同じニューギニアヒメテングフルーツコウモリ属。ニューカレドニアオナガフルーツコウモリは、ニューギニアヒメテングフルーツコウモリ属に近縁のオナガフルーツコウモリ属で、どちらもオオコウモリ科にふくまれます。自分で書いておいてなんですが、種名が長すぎて意味がよくわかりませんね。

●思ったほど長くなかった昆虫
　ラストは昆虫です。

　リュウキュウジュウサンホシチビオオキノコムシ（22文字）
　チュウジョウクビアカモモブトホソカミキリ（20文字）
　オガサワラチビヒョウタンヒゲナガゾウムシ（20文字）
　セイタカアワダチソウヒゲナガアブラムシ（19文字）
　ボンジュサンハナムグリヨツメハネカクシ（19文字）
　ヤエヤマクロホシテントウゴミムシダマシ（19文字）

　予想どおり昆虫がトップでしたが、ほかのグループに比べて圧倒的に長いわけではありません。しかも、一番長いリュウキュウジュウサンホシチビオオキノコムシは、属名にあたる「チビオオキノコムシ」を「チビオオキノコ」と略すことが多いで、その場合は20文字になってしまいます。ちなみに、この長い和名の意味は「琉球に生息する背面に13の斑点がある小さくて大きなキノコに集まるムシ」という、

<memo>

インディアンジャイアントフォレストスコーピオンは、世界最大のサソリ。この和名は英名をカタカナ化したもので、昆虫よりも長い23文字。

わかりやすいものです。

　ほかにも最長候補として、エンカイザンコゲチャヒロコシイタムクゲキノコムシ（24文字）という甲虫がいます。ただしこの和名は、実際に提案されはしたものの、長すぎたせいか採用されなかったそうです。

　また、カノウモビックリミトキハニドビックリササキリモドキ（25文字）はかなり有名なバッタ目の昆虫ですが、こちらはもともと種名として提案されたものではなく、発見したときの驚きを冗談めかして採集記で紹介したものです。その意味は、バッタ目の専門家だった加納康嗣さん[5]も三時輝久さん[6]も驚くような特徴[7]を持つ、ササキリモドキだったということ。このササキリモドキは、1999年に三時さんの手で記載され、周防国（山口県東部）で発見されたことから種小名は「suohensis」、和名はスオウササキリモドキになりました。

Asymmetricercus suohensis Mitoki, 1999　スオウササキリモドキ

※1　どちらも園芸店ではダチュラと呼ばれる。
　　　アメリカチョウセンアサガオ　_Datura inoxia_
　　　シロバナヨウシュチョウセンアサガオ　_Datura stramonium_
※2　カ（蚊）、ガ（蛾）、ウ（鵜）という種はいない。
※3　背びれの一部が棒状に伸びたもので、その先にある疑餌状体を発光させて獲物をおびき寄せる。
※4　たとえば索引では、最長の種名に合わせてスペースを長く取る必要があり、デザイン上のバランスが悪くなる。
※5　日本直翅類学会の元会長。
※6　山口県立山口博物館の元副館長。

memo
スオウササキリモドキの属名_Asymmetricercus_は、ギリシャ語で「左右非対称な尾」を意味する。

※7　オスの尾肢が左右非対称でとても大きく、まるでハサミムシのような形
　　　状をしている。

(miniコラム)　**まったく違う！**
**　　　　　　　菌、細菌、古細菌**

　同じ漢字を使うので混同しがちですが、菌類（フンギ）、細菌類（バクテリア）、古細菌類（アーキア）はまったく別のグループです。しかも、菌類を「真菌」、細菌類を「真正細菌」ということもあるので、余計に混乱します。

　まず、菌類というのは、キノコ、カビ、酵母などをふくむ、植物よりも動物に近いグループです。世界一巨大な生物ともいわれるオニナラタケはキノコの一種、水虫やインキンタムシを引き起こす皮膚糸状菌（白癬菌）はカビの一種、パンをふくらませるドライイーストは酵母の一種と、大きいものから小さいものまでいます。

　次に、細菌というのは、最も「菌」のイメージに近いものです。ヒトの腸内にもいる乳酸菌やビフィズス菌、病気を引き起こすコレラ菌や結核菌、地球で初めて光合成をした藍藻（シアノバクテリア）などをふくみ、すべてが単細胞の微生物です。

　そして、古細菌というのは、細菌と同じく単細胞の微生物ですが、1970年代に独立したグループとされるようになりました。酸素が苦手でメタン発酵を行うメタン菌、80℃以上の水温を好む超好熱菌、塩分濃度の高いところで増殖する高度好塩菌など、極限環境を好むものが多くいます。

　すべての生きものは、真核生物ドメイン（ユーカリオタ）、細菌ドメイン（バクテリア）、古細菌ドメイン（アーキア）の大きく3つに分けられますが、菌類は動物や植物と同じ真核生物ドメイン、細菌は細菌ドメイン、古細菌は古細菌ドメインに属すので、これらはまったく異なるグループです。

　また、真核生物は古細菌から進化したと考えられていますが、古細菌の中でも真核生物に近いグループが「アスガルド古細菌」です。この名は北欧神話に由来するもので、ロキ古細菌門、ヘイムダル古細菌門、トール古細菌門、オーディン古細菌門などに分けられ、なかでもヘイムダル古細菌が最も真核生物に近いと考えられています。

だから、名前をつけるんだ

　「非常に勉強になった」というのが本書を最初に読み終えた際の感想です。私はこれまであまり和名に向き合ってきませんでした。（動物の）新種の記載にラテン語アルファベットの運用は必要であっても、和名を提唱する必要はなかったからです。実際、私がこれまでに記載した新種のうち、記載論文の中で和名も提唱したものは23種中6種しかありません。

　この主な理由は、やはり種の記載は世界に向けて発信するものだと思っていたからです。また、国際誌の論文では、その誌面に英語以外の言語を載せようとしても、「待った」がかかる場合もあります。ただし本音をいえば、古語であるラテン語やギリシャ語を使う学名と違って、和名はすぐにその「センス」が問われることも一因でしょう。私は和名をつけるセンスに自信がないので、恥ずかしい和名をつけてしまうのではないかと恐れていたのです。

　しかし本書に触れ、恥ずかしい和名をつけてしまうと恐れること自体、恥ずかしい行為だったと思い至りました。新種に学名がつけられなければ私たちがその生物を認識できないように、和名をつけることは、大勢の日本人に向けて、その生物を紹介することに他なりません。とくに子どもたちにとっては、意味の通じる和名で紹介するほうが、その生物に親しみを持つことは間違いないでしょう。

　本書では、生物につけられた名前にまつわる話を、基礎から実際の命名例に渡って詳しく取り上げています。本書がたくさんの人の目に留まり、生物の名前を楽しく学ぶきっかけになってほしいと思います。

　そして、和名をつけること、学名をつけることは、そのまま分類学の意義であるといえます。分類学は、生物を似たもの同士でまとめ、

違うものを区別し、命名する学問です。これによって人類は、その生きもののことを認識することができます。しかし、命名された生物にとって、そんなことはまったく意味がありません。その日の餌を探すことのほうがはるかに重要なはずです。そう考えると、分類学は人間のために行う学問だといえるでしょう（もちろん他の生物学もそうですが）。

　ただし、私たちが生物について理解を深めることは、他の生物にとっても有益です。たとえば、近年の気候変動によって、さまざまな生物に大きな影響が出てきています。そのため、生態系の変動を調査することは、地球全体の環境を知り、保全することにもつながると考えることができます。

　そして、生態系の変動を調査するならば、私たちはより多くの生物の存在を認識していなければなりません。実際に100種の生物が関わり合っている生態系において、私たちがそのうち20種しか認識していなければ、生態系の評価には大きな偏りが生じます。人間にまだ知られていない80種だって、生態系においては大きな役割を果たしているはずです。そのため、たったの2割の種だけを基にした環境調査は心もとないといえるでしょう。

　このように、2割の種しか認識されていない状況というのは、極端な例だと思ったかもしれません。でもこの数字は、現在地球上で名前がつけられている種（記載種）の数と、まだ認識されていない種（未記載種）の割合を示したものです。すでに学名のある記載種は約200万種といわれていますが、未記載種はその4倍くらい、つまり800万種はいるだろうと考えられています。この数字にはいろいろと議論がありますが、新種発見の現場に携わってきた身からすると、この数字は妥当、もしくはもっと多くても不思議ではないと思っています。

　もちろん、この未記載の800万種というのは、肉眼では確認できないほど小さかったり、深海で暮らしていたり、既知の種と形は同じなのにDNA情報だけ違う種だったりと、私たちが「見つけにくい」生物が大部分であることは間違いないでしょう。たとえば哺乳類のよう

な、大型で見つけやすい生物は、すでにあらかた記載されていると思われます。しかし、目立たない種であっても生態系の一部であることを考えれば、このような種を絶滅する前に発見し、名前をつけることは、地球環境を深く理解するための急務だといえます。つまり、「分けることでわかること」は、まだまだこの地球上にたくさん存在するのです。分類学はその最初の段階を担っており、混乱が生じた場合にはそれを解決する「縁の下の力持ち」的な存在だといえるでしょう。

　近年、採集方法の開発やDNA解析の発展によって、新種が次々に発見されるようになってきました。すなわち、分類学者はこれからますますたくさんの種を発見し、生物の認識に不可欠な「学名」を与えていくことでしょう。その点で、分類学はまだまだ発展の余地を残しており、人類の未来に貢献できると期待しています。

　もし本書に触れ、生物の名前や分類学に興味が出た、という人がいれば、無上の喜びです。そのような人のために、実際の具体的な新種発見の作業を少しだけお伝えしたいと思います。といいつつも、新種を発見するための最初の作業は、実は野外ではなく室内からスタートします。コラム①（137ページ）でもお伝えしたように、まずは「自分図鑑」をつくる必要があるからです。

　一言でいえば、新種の発見とは「自分が知らないから新種」という状況を整えたうえで、初めてなし得ることだと思います。実際に未記載種を発見しても、「もしかしてこれを記載した人がどこかにいたのではないだろうか」という疑問が生じてしまったら、記載することができません。そのような疑問を払拭するためには、とにかく古今東西の文献を集めて目を通し、そしてなるべくたくさんの標本に触れる必要があります。楽な回り道は存在しません。もちろん、近縁種の特徴を網羅し、分類学的な再検討を行っているありがたい論文も存在します。しかしそのような論文であっても、その種の分類に必要なすべての情報が必ず掲載されているわけではありません。種ごとの違いを、種内の変異もふくめてきっちりと把握するためには、地道な作業が求められます。そしてそのような作業の果てにようやく、新種を命名す

る「記載論文執筆」というステップに進めるのです。

　ただし、そのような発見に至る原動力を得るのは、やはり野外です。私たち分類学者も、野外に出て生物を眺めるなかで、新たな発見や疑問を得ています。新種の発見という道は、最初は孤独がつきまといます。その道を進む支えとなるのは、その生物が好きという気持ちでしょう。みなさんもぜひ、野外でたくさんの自然に触れ、生物を眺め、親しみを持ってほしいと思います。

　本書では、「種」のレベルの話、とくに分類に関しては「新種の発見」に焦点を当てています。しかしながら当然、新種の発見が最も優れた研究成果というわけではありません。重要なことは、その種の情報を人類が共有し、その種に不利益が及ばない範囲で活用することです。その点で、野外で未記載種を発見すること、新種発見のニュースに心を躍らせること、水族館や動物園でいろいろな生物に触れること、分類学を学ぶこと、授業で聞いた分類学の話を家族に伝えること、そのような分類学に通じる営みのすべてに、大きな価値があります。

　そして、その中核となる「生物の認識」を担うのが、「いきものの名前」です。それを綴った本書が、多くの方々の目に触れることを願って、解説を終わりたいと思います。

　　　　　　　　　　　　　　　　　　　　　　　　　岡西政典

参考資料

■ 出版物

『和漢三才図会』（寺島良安 編、1712年）

『尋常小學國語讀本　巻一』（文部省 著、日本書籍、1918年）

『大日本帝國憲法』（明治天皇 制定、1889年）

『本草綱目』（李時珍 著、1596年）

『ギネス世界記録』（クレイグ・グレンディ 編、KADOKAWA）

『小学館の図鑑NEO 動物』
　（三浦慎悟・成島悦雄・伊澤雅子 指導・執筆、吉岡基·室山泰之·北垣憲仁 監修、小学館、2014年）

『日本書紀』（編者不詳、720年）

『世界鳥類和名辞典』
　（山階芳麿・内田清一郎・黒田長久・松山資郎 著、大学書林、1986年）

『生物学名概論』（平嶋義宏 著、東京大学出版会、2002年）

『植物の種』（原題SPECIES PLANTARUM、カール・フォン・リンネ 著、1753年）

『ネイチャー』（シュプリンガーネイチャー 発行）

『自然の体系』（原題SYSTEMA NATURAE、カール・フォン・リンネ 著、1766年）

『鳥類学』（原題ORNITHOLOGIE、マチュラン・ジャック・ブリソン 著、1760年）

『日本動物誌』
　（原題Fauna Japonica、フィリップ・フランツ・フォン・シーボルト 編、1833〜1850年）

『日本植物誌』
　（原題Flora Japonica、フィリップ・フランツ・フォン・シーボルト 編、1835〜1870年）

『ノートルダムのせむし男』
　（原題Notre-Dame de Paris、ヴィクトル・ユーゴー 著、1831年）

『Zootaxa』（マグノリアプレス 発行）

『続ざんねんないきもの事典』（今泉忠明 監修、丸山貴史 著、高橋書店、2017年）

『ざんねんないきもの事典』（今泉忠明 監修、丸山貴史 著、高橋書店、2016年）

『指輪物語』（Ｊ・Ｒ・Ｒ・トールキン 著、1954年）

『オランウータンまたは森の人：サル、類人猿、ヒトと、ピグミーの比較解剖学』
　（原題ORANG-OUTANG, sive HOMO SYLVESTRIS: or, THE ANATOMY OF A PYGMY Compared with that of a MONKEY, an APE, and a MAN、エドワード・タイソン 著、1699年）

『世界哺乳類和名辞典』（今泉吉典 監修、平凡社、1988年）

『動物の図鑑 Wide color 改訂版』（今泉吉典 監修、小森厚 編、小学館、1993年）

『わけあって絶滅しました。』（今泉忠明 監修、丸山貴史 著、ダイヤモンド社、2018年）

『地域に生きる博物館』（徳島博物館研究会 編、教育出版センター、2002年）

『怪談』（小泉八雲 著、1904年）

『座頭市物語』（子母澤寛 著、1961年）

『ゴキブリだもん』（鈴木知之 著、幻冬舎コミックス、2005年）

『学術用語集動物学編（増訂版）』（文部省・日本動物学会 編、丸善、1988年）

『チリの自然誌』

　（原題 Saggio sulla storia naturale del Chili、ファン・イグナシオ・モリーナ 著、1782年）

『生物学語彙』（岩川友太郎 編、集英堂、1884年）

『中等教育動物学教科書』（飯島魁 編、敬業社、1898年）

『日本昆蟲學』（松村松年 著、裳華房、1898年）

『新編彩色鳥類図譜』

　（原題 Nouveau recueil de planches coloriees、コンラート・ヤコブ・テミンク 著、
　1820 〜 1838年）

『訓蒙図彙』（中村惕斎 編、1666年）

『廻国奇観』（原題 Amœnitatum exoticarum、エンゲルベルト・ケンペル 著、1712年）

『世界珍獣図鑑』（今泉忠明 著、人類文化社、2000年）

■ウェブサイト

動物や植物の名の表記。カタカナ、ひらがな、漢字、などその基準は？
　（NHK放送文化研究所）
　　https://www.nhk.or.jp/bunken/summary/kotoba/gimon/003.html
魚類の標準和名の命名ガイドライン（日本魚類学会）
　　https://www.fish-isj.jp/iin/standname/guideline/guidelines2020.pdf
標準和名検討委員会の概要（日本魚類学会）
　　https://www.fish-isj.jp/iin/standname/index.html
世界哺乳類標準和名リスト（日本哺乳類学会）
　　https://www.mammalogy.jp/list/
動物学のためのラテン語文法（チームてづるもづる、監修者のウェブサイト）
　　https://www.tezuru-mozuru.com/?tag=動物学のためのラテン語文法
生きた昆虫・微生物などの規制に関するデータベース（植物防疫所）
　　http://www.pps.go.jp/rgltsrch/
差別表現問題と哺乳類の和名（遠藤秀紀 著）
　　https://www.jstage.jst.go.jp/article/mammalianscience/42/1/42_1_79/_pdf
差別的語を含む標準和名の改名に寄せられたご意見に対する考え方（日本魚類学会）
　　https://www.fish-isj.jp/info/j070201_c.html
メクラカメムシの代替名「カスミカメムシ」の提唱（日本植物防疫協会）
　　https://jppa.or.jp/archive/pdf/54_07_33.pdf
動物と植物のあいだ？ –半藻半獣の生き物ハテナ–（山口晴代 著）
　　https://bsj.or.jp/jpn/general/bsj-review/BSJreview2010A4.pdf

------- 著　者 -------

丸山貴史
まるやま・たかし

1971年、東京都生まれ。法政大学を卒業後、ネイチャー・プロ編集室、人類文化社などで編集業務に従事。2008年に株式会社アードバークを設立し、図鑑の企画、編集、執筆、校閲、監修などを行っている。主な作品に、『どうぶつのタマタマ学』（執筆／緑書房）、『わけあって絶滅しました。』（執筆／ダイヤモンド社）、『ざんねんないきもの事典』（執筆／高橋書店）、『生まれたときからせつない動物図鑑』（監訳／ダイヤモンド社）、『世界珍獣図鑑』（編集／人類文化社）、『ゴキブリだもん』（編集／幻冬舎コミックス）などがある。

------- 監修者 -------

岡西政典
おかにし・まさのり

1983年、高知県生まれ。東京大学大学院理学系研究科博士課程修了。現在は広島修道大学人間環境学部助教。専門は海産動物の分類学。著書に、『生物を分けると世界がわかる』（講談社）、『新種の発見』（中央公論新社）、『深海生物テヅルモヅルの謎を追え！』（東海大学出版部）。日本動物学会論文賞・藤井賞・奨励賞、日本動物分類学会奨励賞、科学技術分野の文部科学大臣表彰若手科学者賞などを受賞。

謝　辞

本書を制作するにあたって、以下の方々にご協力いただきました。感謝申し上げます。（敬称略、五十音順）

芦田安信　中野隆文

どうしてそうなった!? いきものの名前
奥深い和名と学名の意味・しくみ・由来

2023年12月30日　第1刷発行

著　　者 ……………………… 丸山貴史

監 修 者 ……………………… 岡西政典

発 行 者 ……………………… 森田浩平

発 行 所 ……………………… 株式会社 緑書房
　　　　　　　　　　　　〒103-0004
　　　　　　　　　　　　東京都中央区東日本橋3丁目4番14号
　　　　　　　　　　　　TEL　03-6833-0560
　　　　　　　　　　　　https://www.midorishobo.co.jp

編　　集 ……………………… 平川　透、島田明子

カバーデザイン …………… 尾田直美

組　　版 ……………………… メルシング

印刷所 ……………………… 図書印刷